勘破西游

典藏版

第二部 取经疑云

叶之秋 著

中国发展出版社
CHINA DEVELOPMENT PRESS

图书在版编目（CIP）数据

勘破西游．第二部／叶之秋著．—北京：中国发展出版社，2022.1（2025.4 重印）
ISBN 978-7-5177-1263-3

Ⅰ．①勘…　Ⅱ．①叶…　Ⅲ．①《西游记》研究
Ⅳ．①I207.414

中国版本图书馆 CIP 数据核字（2021）第 229888 号

书　　　名：勘破西游（第二部）
著作责任者：叶之秋
责 任 编 辑：钟紫君　吴　思
出 版 发 行：中国发展出版社
联 系 地 址：北京经济技术开发区荣华中路 22 号亦城财富中心 1 号楼 8 层（100176）
标 准 书 号：ISBN 978-7-5177-1263-3
经　销　者：各地新华书店
印　刷　者：北京博海升彩色印刷有限公司
开　　　本：880mm×1230mm　1/32
印　　　张：9.25
字　　　数：206 千字
版　　　次：2022 年 1 月第 1 版
印　　　次：2025 年 4 月第 3 次印刷
定　　　价：29.80 元

联 系 电 话：（010）68990535　68360970
购 书 热 线：（010）68990682　68990686
网 络 订 购：http：//zgfzcbs.tmall.com
网 购 电 话：（010）68990639　88333349
本 社 网 址：http：//www.develpress.com
电 子 邮 件：174912863@qq.com

序　言

八十一难皆是局，降妖伏魔一场戏

《西游记》与《三国演义》《水浒传》故事题材不同，然其根源一致，甚至与《红楼梦》也是殊途同归。

《三国演义》讲的是王侯将相，江山霸业；《水浒传》说的是绿林豪杰，江湖风雨；《红楼梦》写的则是公子小姐，家族兴衰……

有人的世界就有江湖，有江湖的地方就难免有纷争。历史如此，武侠如此，家族如此，仙幻世界也如此。

《西游记》所写的不仅是降妖伏魔、打怪升级，其故事展现的，更是以唐僧、孙悟空师徒为代表的三界仙佛妖鬼斗智斗勇的故事。

“斗智斗勇”中，“勇”很好理解。在许多读者印象中，孙悟空就是胆大无畏的象征，金箍棒在手的孙悟空，敢与天庭叫板，敢争玉帝宝座。

那么，这“智”体现在何处？

《西游记》中的“智”，不在于孙悟空如何捉拿妖怪，不在于唐僧如何逃过劫难。因为“八十一难皆是局，降妖伏魔一场戏”，所谓取经的种种磨难，本就是仙佛高层安排好的一场戏，孙悟空也好，唐僧也好，甚至大多数下界作乱的妖魔，其实都是拿着剧本，遵照导演的意图演戏而已。

为何这么说呢？

取经路上，为何众多妖魔抓到唐僧总是不吃？孙悟空大闹天宫横扫天庭群仙，为何取经时被许多妖魔打得狼狈？为何孙悟空明明能打败妖王，却偏要去求神拜佛，找寻妖魔主人？为何每当孙悟空挥起金箍棒时，定有仙佛高喊“大圣住手”？

这些事情若仅是偶然出现一次，可以说是意外；但若经常出现，其中必然内藏玄机。

作为名著，作为一部经历数百年大浪淘沙的经典作品，最大的特点就是经得起揣摩。不但语言精湛、表意精准，而且构架宏伟、情节巧妙、人物性格复杂多变。

此前多年，研究《红楼梦》《三国演义》者多，然而，肯耐下心来揣摩《西游记》的人少。

老叶喜欢《西游记》，喜欢《封神演义》，对中国神话十分痴迷。正是怀着一份爱慕与敬仰之心，老叶一而再、再而三地品读《西游记》，争取“勘破西游”。

在老叶的解读中，孙悟空不仅心高气傲，疾恶如仇，而且胆大包天，敢与玉帝叫板，他还狡猾多智，聪明诡谲，在一波又一波的降妖故事中迅速成长。取经八十一难，不单单是唐僧经历的种种磨难，更是孙悟空从幼稚莽撞到逐渐成长，学会借力打力，学会左右逢源，变得成熟、变得强大的人生历程。

唐僧也不仅是一心向佛，他在佛心坚定之余，也会有胆怯、有懦弱，甚至有古板、有迂腐、有尖酸刻薄、有刻意偏袒。

猪八戒与孙悟空之间既有相扶相持的融洽时光，更有钩心斗角、小肚鸡肠的种种矛盾。猪八戒拥有的，不仅仅是可爱，不仅仅是蠢萌，还有既凶残暴戾又伟岸高大的一面。

沙僧也不再是那个只知道高喊“大师兄，妖怪把师父抓走了”的路人甲。《西游记》原著中的沙僧，乃是玉皇大帝身边的禁军大将，心机深沉，城府如海。若单论智谋，他足以在唐僧师徒中排名第一。

“八十一难皆是局，降妖伏魔一场戏”，西游取经故事中，到底有哪些迷局？在种种迷局中，孙悟空、唐僧、观音菩萨、如来佛祖、太上老君等，各自又扮演了怎样的角色呢？

看完本书，相信您都会找到满意的答案。

叶之秋

2021年10月25日

目　录

第一节　袈裟血案

唐僧骑着白龙马，带着孙悟空，不久就来到了观音禅院。他们到来的当晚，平静了数百年的观音禅院竟然爆发了一场大火灾。火灾过后，观音禅院化为一片废墟。

这火灾之所以发生，主要原因是老院主与众和尚贪财恋富，对袈裟心生贪念，以至于引发一场毁寺惨案。不过，“一个巴掌拍不响”，老院主等人固然有错，可孙悟空就没错了吗？

若我们仔细推敲，就会惊人地发现：一贯疾恶如仇的孙悟空，在此案中扮演了一个很不光彩的角色。

如何不光彩？简单来说就是，观音禅院一案之所以发生，一方面是和尚贪婪，另一方面却是孙悟空推波助澜。若无孙悟空故意掺和，挑起是非，此案根本不可能发生。

进入观音禅院，见到大殿中的观音菩萨塑像，唐僧恭敬下拜。唐僧说：“弟子屡感菩萨圣恩，未及叩谢。今遇禅院，就如见菩萨一般，甚好拜谢。”* 唐僧对观音的感激，出于真心。想他不过是唐朝一凡僧，若无观音指点，根本不能获得取经大任。若无观音安排，他也无法得到孙悟空这样的强力护法。此前，观音见唐僧的马

---

* 文中引用的《西游记》原文，参见人民文学出版社 1955 年第 1 版、2010 年第 3 版《西游记》。全书同。

匹没有鞍辔，更派山神特意送来，可谓想唐僧之所想，急唐僧之所急。

观音于唐僧，恩重如山。

原文说：“三藏展背舒身，铺胸纳地，望金像叩头。那和尚便去打鼓，行者就去撞钟。”

虽然眼前只是一尊泥胎，但唐僧恭恭敬敬，没有丝毫懈怠。一旁的和尚打鼓，孙悟空撞钟，在钟鼓相和声中，唐僧行礼结束。

本来，一切都很和谐。可是，正在和尚引导唐僧离开时，却发现一旁的孙悟空还在不停地撞钟。他这撞钟没有任何频率，或轻或重，根本就是乱撞一气。唐僧铁青着脸，很尴尬。一旁的和尚告诉孙悟空，行礼结束了，别撞钟了。孙悟空却说：“你那里晓得，我这是做一日和尚撞一日钟的。”

孙悟空的意思是说自己坚守和尚本分。实际上，他这么一闹，把观音禅院所有和尚都惊动了。一向寂静的禅院，再也无法平静了。

在这样的情况下，全寺几百和尚包括静修多年的老院主都出动了。大家一齐质问：“那个野人在这里乱敲钟鼓？”孙悟空毫无愧色，反倒大声说：“是你孙外公撞了耍子的！”

作为一个借宿的客人，孙悟空大闹禅堂，不但不尊重主人，更是不尊重禅院背后的观音菩萨。他这番大闹，事出有因。

观音禅院的和尚们见孙悟空如此凶悍，一个个面色如土，不敢作声。可心中，人人都对这雷公嘴的野和尚心怀不满。

正因如此，老院主才会出面炫富，想要压一压唐僧师徒的嚣张气焰。

面对老院主的炫富，唐僧一再忍让。孙悟空却说，自家有宝，行李中的袈裟就是宝贝。

唐僧难道不知道袈裟是宝贝？他当然知道。

唐僧悄悄告诉悟空说："徒弟，莫要与人斗富。你我是单身在外，只恐有错。古人有云，珍奇玩好之物，不可使见贪婪奸伪之人。倘若一经入目，必动其心；既动其心，必生其计。汝是个畏祸的，索之而必应其求可也。不然，则殒身灭命，皆起于此，事不小矣。"

江湖行走，切记不可露白。唐僧虽然是第一次出远门，可是，他能够从普通小沙弥成为大唐都僧纲，还是见过一些血雨腥风，懂得一些江湖规矩的。唐僧虽然拥有袈裟，可一般情况下根本不穿。只因斯人无罪，怀璧其罪。宵小之辈若是见到这佛派奇珍，难免见财起意，顿起杀心。

唐僧这番话告诉我们，若孙悟空不强出头，不拿出袈裟，只会受些观音禅院和尚们的嘲笑，却绝不会惹出寺毁人亡的惨案。可惜，在孙悟空看来，自己乃纵横三界的齐天大圣，即便眼前和尚们拿起刀枪一起上，他也根本不放在眼里。

于是，孙悟空不听唐僧劝阻，硬是把行李打开，拿出袈裟来。

袈裟一出，惊艳全场。老院主安静了两百多年的心，也躁动了起来。

孙悟空在南天门与广目天王的对话，更是直接把猴哥内心的阴暗面暴露了出来。

半夜里，孙悟空躲在暗处，看到和尚们搬柴运草，点起火来欲烧唐僧居室院落。孙悟空有何反应呢？

孙悟空飞上天庭，找到看守南天门的广目天王。孙悟空介绍说："唐僧路遇歹人，放火烧他，事在万分紧急，特来寻你借辟火罩儿，救他一救。快些拿来使使，即刻返上。"天王道："你差了，既是歹人放火，只该借水救他，如何要辟火罩？"行者道："你那里晓得就里。借水救之，却烧不起来，倒相应了他；只是借此罩，护住了唐僧无伤，其余管他，尽他烧去。"

在孙悟空看来，唐僧是自己消除罪孽、获得正果的保证，至于观音禅院的和尚，是死是活干他何事？广目天王不忍心，笑着劝说："这猴子还是这等起不善之心，只顾了自家，就不管别人。"

不管广目天王如何劝说，孙悟空就是不听。拿了避火罩后，孙悟空罩住了唐僧住的院子。若孙悟空仅仅是如此，也只能说孙悟空冷漠而已。即便火再大，也只会烧毁唐僧住处附近的一点院落。可孙悟空竟然吹一口仙气，弄一阵狂风，把那火焰吹得腾起千丈。眨眼工夫，大火就顺着狂风，烧向了观音禅院的其他院落。

原文说："正是星星之火，能烧万顷之田。须臾间，风狂火盛，把一座观音院，处处通红。你看那众和尚，搬箱抬笼，抢桌端锅，满院里叫苦连天。"偌大一个观音禅院，千百间楼阁，一个晚上被烧成灰烬。

因为大火是在晚上突然爆发，绝大多数和尚都在睡梦中。大火烧起来，大家穿个裤衩就跑出来了。等到天明，这两百多和尚"赤赤精精，啼啼哭哭，都去那灰内寻铜铁，拨腐炭，扑金银。有的在墙筐里，苫搭窝棚；有的赤壁根头，支锅造饭，叫冤叫屈，乱嚷乱闹不题”。大火之后的观音禅院，可谓凄凄惨惨，一片哀声。

老院主看到袈裟丢了，唐僧和孙悟空却安然无恙，心中羞愧惧怕，最终选择撞墙而死。

老院主贪心有罪，但罪不至死。绝大多数和尚更无过错。孙悟空本可以下一场大雨灭火，当面教训老院主即可。如此，既可以保全唐僧，拿回袈裟，也可以让观音禅院的和尚认识到自己的过错。如此，于人于己，都是最好的解决方式。

可是，孙悟空选择的解决办法是，一方面放纵和尚放火，另一方面吹风烧寺，最终造成寺毁人亡的惨案。

后来观音见到孙悟空时，训斥说：“都是你这个孽猴大胆，将宝贝卖弄，拿与小人看见，你却又行凶，唤风发火，烧了我的留云下院，反来我处放刁！”

观音在评判袈裟血案时，单单说孙悟空的过错，只字不提观音禅院和尚们的罪行，这虽是偏袒，但是她骂错了吗？

观音没有骂错。若非孙悟空拿出袈裟，故意卖弄，若非孙悟空弄风吹火，观音禅院绝不会被烧，老院主绝不致自杀。

那么，孙悟空为何要这么做呢？

根子还是出在观音骗孙悟空戴上了金箍上。

孙悟空虽然不是一个睚眦必报的人，也绝对谈不上宽宏大量。对观音以欺骗的手段用《紧箍咒》来束缚他的自由，他一直耿耿于怀。虽然观音已经送出了三根救命毫毛作为补偿，虽然孙悟空口头也答应金箍的事情不再提，但是孙悟空的心中依然不能释怀。

而落伽山山神在送出鞍辔的时候，对孙悟空的几句嘲弄，更是让孙悟空心头火起。

小小山神凭啥敢戏弄齐天大圣孙悟空？不就是仗着背后有观音吗？于是，在唐僧跪拜山神的时候，孙悟空昂然站立，以示不满。

等到路过观音禅院时，孙悟空大喜：终于找到一个可以发泄怨气的机会了！于是，孙悟空胡乱撞钟，激起观音禅院与唐僧师徒的矛盾，随后又故意卖弄，拿出袈裟来斗富；又故意放风，把观音禅院烧毁。

对于孙悟空的这些小动作，观音知道吗？

观音眼观三界，耳听八方，对孙悟空的心思一清二楚。但是，她只是骂了几句孙悟空，并没有进一步的惩罚。

为什么呢？原文观音说："也罢，我看唐僧面上，和你去走一遭！"

孙悟空心中有不满时，可以放风纵火泄愤，可观音不行。取经行动高于一切，既然非孙悟空不能保证唐僧安全，为保证取经成功，那就必须原谅孙悟空的调皮、撒泼。

而袈裟血案中，观音虽损失了一座下院，却收获了一个守山大神。这就是黑风洞的黑熊精。黑熊精乃是一个偷袈裟的贼，为何能被观音看中，修成了正果呢？

第二节　黑熊盗衣

在观音禅院失火时，相距二十里的黑风山上的黑风洞里有一个黑熊精，跑来趁火打劫，拿走了唐僧的袈裟，从而引出孙悟空与黑熊精的几番大战。

这黑熊精是一个很神奇的妖怪，他与孙悟空大战两次不分胜败。孙悟空评价说："我也硬不多儿，只战个手平。"观音未见黑熊精时评价说："那怪物有许多神通，却也不亚于你。"见到黑熊精后，"菩萨又怕那妖无礼，却把一个箍儿，丢在那妖头上"。可见，这黑熊精的神通，令观音也忌惮三分。

孙悟空大闹天宫时大败群仙，真的是威风八面。取经路上虽然遇上许多妖怪，但能在打斗上与孙悟空打个平手的并不多见。这黑熊精算是第一个。且孙悟空乃菩提祖师（太上老君）高徒，得传上品天仙诀，而黑熊精呢？书中对其没有任何师承记载，可以说他是草根妖怪一枚。

这黑熊精从寻常妖兽自学成才修成仙身，且神通广大，堪比孙悟空，因此他堪称西游世界第一草根英雄。

不过，孙悟空是不是真打不赢黑熊精呢？若孙悟空全力进攻，黑熊精必然不能抵挡。我们且细看二人的四次见面、三次交手。

第一次见面，孙悟空飞到黑风山，远远就听到三个妖怪在商谈举办佛衣会的事情。孙悟空大怒，冲过去挥棒就砸。背靠孙悟空的白花蛇精被当场打死；两旁的苍狼精和黑熊精慌忙逃窜。

此战孙悟空是偷袭。不过，我们不要忘记了，孙悟空乃是金刚不坏之身，后文中孙悟空曾经让猪八戒以九齿钉钯全力进攻，也不能伤其分毫。

也就是说，若孙悟空偷袭，可以一棒子把黑熊精打死，但若黑熊精偷袭，孙悟空则毫发无伤。

第二次见面，两人正式交手。两人在洞外大战十数回合，不分胜负。十来个回合是多久？书中说，孙悟空是早饭后出门，打完已经快中午。其中打花蛇精，找寻山洞，介绍自己花了一些时间，但两人这次交战，至少有一两个小时。

黑熊精能与孙悟空大战十数个回合不分胜败，已经算是不错战绩。不过，黑熊精还有一项不如孙悟空的地方——战斗持久力不足。才打两个小时，他就要吃饭。孙悟空嘲讽说："你这个孽畜，教做汉子？好汉子，半日儿就要吃饭？似老孙在山根下，整压了五百余年，也未曾尝些汤水，那里便饿哩？"黑熊精不搭理，躲入山洞，关好洞门。孙悟空怒了，挥棒打洞门，可打不动。

第三次见面，是在下午。孙悟空回观音禅院一趟，问候了师父。和尚们请孙悟空也吃了斋饭——孙悟空吃饭也行，不吃饭也行。取经路上，猪八戒成天喊饿，孙悟空却一次都没说饿。

然后孙悟空再去黑风山，路上遇上送信小妖，将其打死后，变化成观音禅院老院主金池长老模样。黑熊精完全不能分辨真假，对其热情迎接。后来因为巡山小妖回禀，发现了送信妖怪尸体，黑熊精才大惊出手。

两人从洞口打到山上，从山上打到云中，一直打到太阳西沉，依然不分胜败。黑熊精说，今天晚了，你先回去，明天再来。他百分百是又饿肚子了。孙悟空嘲笑说："儿子莫走！要战便像个战的，不可以天晚相推。"黑熊精不理睬，化为清风，躲入洞中。

在这次交手中，黑熊精暴露了第二个缺陷：不能识别变化之术，甚至连变化之术都不会。这也为黑熊精最终落败，埋下了伏笔。

孙悟空回到观音禅院，唐僧见依然没有拿到袈裟，难免唠叨了几句，还威胁说要念《紧箍咒》。孙悟空却并不担心，说：“莫管，莫管，我有处治。”在他心中，并没有觉得黑熊精多么扎手。

第二天天亮，他就去南海找观音。观音请来后，他们路上撞到一道士，被孙悟空劈面打死了，乃是昨日见到的苍狼精。苍狼精辛辛苦苦找到了两颗仙丹，准备与黑熊大哥分享，没想到遇上了孙悟空。

随后，孙悟空让观音变成了道士，自己变成一颗大仙丹，让黑熊精服下。黑熊精果然中招——取经路上，孙悟空用此变化之术降伏了不少人，不过，每次的细节却又不同。

黑熊精翻身倒地，疼痛不已。

观音拿回袈裟，孙悟空从黑熊精鼻子中飞了出来。黑熊精想要再战，却被观音的金箍（金、紧、禁三个箍中的禁箍）套上。观音一念咒，黑熊精疼得满地爬，只好表态归顺。

其实，只要孙悟空继续待在黑熊精肚子里，他就可以把黑熊精弄死。

总结下两人的四次见面、三次交手，可以看出：论战斗技能，孙悟空和黑熊精持平；论战斗精力，孙悟空完胜黑熊精；论变化之术与破幻之术，孙悟空完胜黑熊精。

黑熊精能够以草根妖怪修成如此神通，已经是大为不易。他究竟为何能够超越凡兽，自学成就仙身呢?

第一，黑熊精颇有仙根，悟性很高。

孙悟空第一次进入黑风洞中，看到那洞府根本没有一点妖精气息。里面松竹交翠，桃李争妍，丛丛花发，簇簇兰香，即便与所谓洞天福地相比，也丝毫不差。在正厅大门两边，有一副对联，上书：静隐深山无俗虑，幽居仙洞乐天真。大家仔细品味，能说出这样话语的，哪里是什么妖怪，分明是领悟了天道的仙人——或者说是中国传统观念中乐天知命的隐士。

一贯骄傲的孙悟空看了，也暗中佩服说："这厮也是个脱垢离尘、知命的怪物。"

黑熊精有如此不俗胸襟，这是他能够在修仙道路上走得很远的重要原因。

第二，黑熊精找了一个与天地相融的修炼宝地。

黑熊精住的黑风山黑风洞不是一个简单的洞府。书中这么写道："山有涧，涧有泉，潺潺流水咽鸣琴，便堪洗耳；崖有鹿，林有鹤，幽幽仙籁动间岑，亦可赏心。这是妖仙有分降菩提，弘誓无边垂恻隐。"

看到那景色时，观音心中赞叹说："这孽畜占了这座山洞，却是也有些道分。"正是有此黑风洞相助，黑熊精才能够在修炼中得以迅速提升。黑熊精的黑缨枪，两度大战孙悟空的金箍棒，丝毫不落下风。黑熊精还有黑头盔、黑铠甲、黑战靴。这一整套玄铁套装，极有可能就是由这黑风洞中孕育的独特神铁所打造。

第三，黑熊精广交朋友，取长补短。

黑熊精一共有三个朋友——金池长老、花蛇精、苍狼精。金池长老擅长佛法，花蛇精精通采补，苍狼精最会炼丹，黑熊精与此三友交往，获益良多。

金池长老虽然很贪财，但不得不承认，人家讲佛经也是一把好手。观音禅院乃是个富贵禅院，不缺经营。金池长老最怕死，黑熊精投其所好，传授他一些打坐服气的小法门，让金池长老活到两百七十岁时，还身体康健。金池长老因为资质所限，虽懂得很多理论，却不能实践。黑熊精却不一样，他长期听金池长老说法，受益良多。

黑熊精定期和花蛇精、苍狼精交流修炼心得，大家互补不足，共同成长。这次佛衣会，苍狼精更献上精心炼制的丹药——可惜被孙悟空一口吃了。孙悟空吃了没什么反应，但未必是人家的丹药不好。只因孙悟空吃了太多太上老君金丹，身体已强化到巅峰了。

而黑熊精得以修成如此神通的最重要原因，是在黑熊精的成长背后，有一个超级大人物在推波助澜。

这个大人物是谁呢？

第三节　守山大神

孙悟空以变化之术击败黑熊精后，正要挥棒将其打死，却被观音阻拦。

黑熊精犯下偷盗袈裟、阻碍取经行动的大罪，按照常理，这等妖怪只有死路一条。为何观音要阻止孙悟空呢？

观音说：“休伤他命，我有用他处哩。我那落伽山后，无人看管，我要带他去做个守山大神。”见观音已经开口，孙悟空只能罢手。不久，观音带着黑熊精，离开了黑风山，前往南海。

观音的落伽山后，真的无人看管吗？当然不是。

要知道，西游世界的观音，可是“七佛之师”。更何况，观音还是天庭任命的五方五老之一。有如此影响力的观音，其道场所在地落伽山，怎么可能没有人看管呢？

在《西游记》中明确提到的落伽山上有名有姓的仙人就有不少。

地位仅次于观音的，是木叉。他是观音的大徒弟，法号惠岸行者。木叉武艺超群，神通不俗，和孙悟空大战五六十回合，才因力量不够而落败。

落伽山的三号人物是观音的贴身侍女捧珠龙女。

小说中这龙女的来历不祥，不过提到了两个细节。

其一，收服沙和尚时，孙悟空前往南海求见观音。当时，观音正和龙女两个人在宝莲池畔观赏莲花。听到仙人通传，才前往转云岩接见孙悟空。从两人“扶栏看花”可以看出，观音与这位贴身侍女非常亲密。

其二，在收服红孩儿一回中，观音本不想出面，想派龙女和孙悟空同去，却又提出：“你却又不是好心，专一只会骗人，你见我这龙女貌美，净瓶又是个宝物，你假若骗了去，却那有工夫又来寻你？”观音是《西游记》中美女的代名词。书中提到了比丘国的狐狸精极美，美得像观音一般。金鼻白毛老鼠精也极美，号称“半截观音”。可是，在观音口中，那龙女竟然也是极美的。

或许，观音选择小白龙进入取经团队，与这龙女暗中的影响不无关系。当然，这是外话。

在木叉与龙女之下，第四号人物当是落伽山山神。

在山神之下，是二十四诸天。在传统神话中，二十四诸天神通广大，其中的帝释天更是声名赫赫。不过，《西游记》中的所谓诸天，只相当于中下级仙人。落伽山有二十四诸天，灵山有三十二诸天。

在二十四诸天中，唯一出现名号的，是鬼子母诸天。此人曾经向观音通传孙悟空到来的消息。

在二十四诸天之下，则是南海的千百普通仙人。

从以上介绍可以得知，观音的南海落伽山，虽然总体实力逊色于如来的灵山——灵山差不多有四千仙人，但依然是人间一个超强的仙人集居地。若非如此，观音如何能名列五方五老第二名？连拥有五百灵官、五大龙神、龟蛇二将的九天荡魔祖师，排名也在观音之下。

既然观音的落伽山上仙人众多，观音为何还要收编黑熊精，并且大力提拔黑熊精充当守山大神呢？

其一，黑熊精不是外人。

这黑熊精貌似草根妖怪，其实和观音关系密切。观音在没有见到黑熊精之前，就已经知道此妖的神通不在孙悟空之下。观音通过金池长老，一直在暗中关注、指点黑熊精。这黑熊精，其实就是观音的记名弟子。

正因为如此，观音才会阻止孙悟空打杀黑熊精，并把他收编门下。

当然，黑熊精能够获得如此好的机遇，也和他自身的努力有关。若黑熊精没有足够的天赋，后天又偷懒懈怠，恐怕早就被孙悟空一棒打死了。

其二，落伽山山神很碍眼。

这落伽山山神乃是玉皇大帝任命的，属天庭仙人。这山神，想必就成了玉皇大帝安插在观音身边的一个探子。只要有山，必定设置山神，这是天庭的规矩。观音不能以一己之力对抗天规，于是，她转换思路，想出了一个架空落伽山山神的法子。

于是，黑熊精被任命为落伽山守山大神。名义上，黑熊精是看守后山，实际上，黑熊精就是整个落伽山的守山大神。原落伽山山神渐渐就被边缘化了，从黑熊精上任之后，他就再也没有出现过。

其三，扩充势力的需要。

虽然南海仙人也不少，但是势力强劲的并不多。以前，增加仙人编制需要玉皇大帝或如来同意。而如今，取经行动是天庭批准的官方行动，由观音直接负责，拥有不小的权限。于是，借着取经行动，观音壮大了落伽山的力量。取经行动结束时，观音不但成功笼络了取经五人组，更直接把黑熊精、红孩儿等一流的强大妖魔纳入麾下。

第四节　黑熊未来

黑熊精被观音收为守山大神之后，从草头妖王一跃而成仙界正神。在名列仙班之后，这位守山大神的生活如何呢？

孙悟空大闹五庄观，推倒人参果树后来到南海时，和黑熊精有一番对话。

原文说："那菩萨早已看见行者来到，即命守山大神去迎。"

在西游世界，作者写如来与观音时，都正面提到了"慧眼遥观"这一词。孙悟空曾经多次提到，自己的火眼金睛可以看到千里之内蜻蜓展翅。在朱紫国揭皇榜一段时，也特别提到了孙悟空听力超群。可以想见，当实力达到天尊级别后，那些大仙们都应当拥有超强的视力与听力。而所谓"慧眼"，在我看来是一种特殊而强大的佛派功法。如来曾经说，观音与诸佛的慧眼可以看遍四大部洲，而他的慧眼，不但能看遍天下，并且能知道万物来历。即不但看到万物，而且看透万物。

观音在孙悟空接近落伽山时，就已经看到他，这很正常。

那为何派守山大神黑熊精去迎接孙悟空呢？

这是孙悟空第二次来南海，此前，是由二十四诸天迎接。这次，观音是要让孙悟空看到黑熊精的变化，同时也是给黑熊精一个机会——你现在可以代表落伽山出面迎客啦！

黑熊精很激动，走出紫竹林，见到孙悟空。他高叫一声：“孙悟空，那里去?”在黑熊精看来，自己与孙悟空的神通一般无二，既然实力相同，直呼其名有何不可?

没想到孙悟空一听就恼了。他厉声大喝说：“你这个熊罴！我是你叫的悟空？当初不是老孙饶了你，你已此做了黑风山的尸鬼矣。今日跟了菩萨，受了善果，居此仙山，常听法教，你叫不得我一声老爷?”

孙悟空这番话有两层意思。

其一，黑熊精你别搞错了，我们实力不相等。

两人的武艺虽相近，但法术神通根本不在一个档次。

在黑风山时，孙悟空变成仙丹进入黑熊精腹中。孙悟空若折腾起来，黑熊精必然心肝俱裂，死于非命。黑熊精为何会中招？因为他没有看破幻术的神通，在变化法术上的修行太浅。

其二，你能够皈依佛门，来到南海，我老孙有功劳。

孙悟空与黑熊精有几番大战，在武艺上两人胜败不分。不过，孙悟空是不是就无法降伏黑熊精呢？不是的。

几次比斗，黑熊精都以肚子饿要吃饭为由，逃离战场，孙悟空也就回转观音禅院。若孙悟空有心要战，完全可以不搭理黑熊精。若打个三天三夜，孙悟空依然精力旺盛，黑熊精则必然又累又饿，最终死在孙悟空棒下。

关键一点，在比斗中，孙悟空只是比拼了武艺，没有展现变化之术，更没有施展他的绝招身外化身术。

孙悟空比了两次武艺后，就直接去南海找观音了。许多读者以为，是孙悟空打不赢黑熊精，于是找观音求援了。

事情是这样吗？若您这么想，就太看轻孙悟空的智慧了。

黑风洞距离观音禅院不过二十里，黑熊精更与观音禅院的金池长老关系密切，观音禅院则是观音在人间的下院。由此种种，不得不让孙悟空心生疑忌。

看这黑熊精偷盗了佛衣之后，不但不隐匿消息，反倒大张旗鼓地搞佛衣会，甚至还派出小妖邀请金池长老与会。这其间大有玄机啊！

黑熊精当然知道佛衣的主人唐僧、孙悟空就在观音禅院。那么，黑熊精这么做，不是硬把消息告诉孙悟空吗？

于是，孙悟空很容易猜想到，这黑熊精如此嚣张，极有可能与观音有关系。

正因如此，孙悟空才会在明明可以降伏黑熊精的情况下，去南海求援。而最后的事实果然和孙悟空猜想的一般无二。

黑熊精能够加入落伽山，成为观音麾下守山大神，一方面是观音有意招揽，另一方面也是孙悟空棒下开恩。

黑熊精不愧是天生异兽，灵性十足，被孙悟空一嗓子喊醒了。他立刻赔着笑容说："大圣，古人云，君子不念旧恶，只管题他怎的！菩萨着我来迎你哩。"

黑熊精早就知道孙悟空曾经大闹天宫，也当面嘲笑过孙悟空是弼马温，此处称孙悟空为"大圣"，这就等于示弱、求饶。

黑熊精更提出，君子不念旧恶。昔日偷盗了佛衣，得罪了孙悟空，希望不要计较。同时，黑熊精强调，自己这次前来，是代表菩萨来迎接孙悟空的。言下之意，不看僧面看佛面，请孙悟空看在观音面子上，不要计较。

见黑熊精已经低头，并且抬出了观音，孙悟空也就不再多言，在黑熊精的引导下，走入紫竹林。

在这段话之后，《西游记》中再也没有对黑熊精的正面描述，此后只是在孙悟空到达南海，南海仙人迎接时，提到一笔守山大神。

毕竟这黑熊精并非《西游记》的主角。不过，书中虽然没有再写，我们却可以从黑熊精的行事风格，推测出黑熊精未来的成就。

黑熊精和西游世界绝大多数妖怪都不一样。多数妖怪满足于喝喝酒、杀杀人的眼前快感，黑熊精则不然。他向往的、追求的，一直都是长生大道。在这一点上，黑熊精和孙悟空惊人相像。

若非想要获得佛派正统修仙功法，黑熊精怎么可能折节下交，和区区观音禅院的一个人类和尚交好？若非想要精进炼丹之术，黑熊精怎么会和战力远不如自己的苍狼怪称兄道弟？黑熊精在盗走锦襕袈裟的第二天，就汇聚花蛇精和苍狼怪，在一起谈佛论禅，交流修仙心得。即便是孙悟空打上门来，黑熊精依然有条不紊地筹备佛衣大会。黑熊精不是一个贪恋财宝的人，他最主要的目的，是借佛衣这个宝贝，结交更多的知名妖怪，获得更多提升自己实力的机会。

之后，孙悟空带来观音，大闹黑风洞。当观音表明身份、提出招安时，黑熊精立刻倒身下拜，没有半点迟疑。在他看来，做妖王可以自由自在，但时光易逝，人生易老，既然踏上了修仙之途，唯有长生大道，才是最值得追求之事。

来到落伽山后，观音对黑熊精非常信任。黑熊精麾下有许多仙人听从调遣，镇守的也绝非仅仅是后山。他虽然是中途加入，实际上已经是落伽山安保第一人。

关键一点是，黑熊精从此拥有了和木叉、龙女一样时常聆听观音说法的机会。

此前，黑熊精和孙悟空比斗神通，在武艺上大体相当，可是在变化神通上大大不如。相信在追随观音之后，这方面将不再是黑熊精的短板。这天赋异禀且心性坚定的黑熊精必然有望成就天仙，成为观音麾下的又一位高手。

降伏了黑熊精后，唐僧师徒来到了乌斯藏国高老庄。在这里，唐僧收了第二个徒弟猪八戒。猪八戒身上的谜团很多。比如，猪八戒的发妻卵二姐是谁？八戒为何叫八戒？他与孙悟空谁更强？……

第五节　卵二姐是谁

许多读者都知道猪八戒调戏嫦娥，也知道取经路上八戒对高老庄的高翠兰念念不忘，但唯独对猪八戒的结发妻子卵二姐知之甚少。

猪八戒在成仙之前立志求仙，一直保持元阳之身。虽然调戏嫦娥，但并没有得手。他的第一个女人，叫作卵二姐。

卵二姐在书中是个流星般的人物，仅仅是书中讲观音寻访取经人遇上八戒时，在八戒对往事的叙述中提到一笔。此后许多年，猪八戒再也没有提起卵二姐，就仿佛这个人从来不曾出现一般。

为何呢？因为这个卵二姐身份非同一般，不可以随便透露。既然不能随便透露，为何又说给观音听呢？因观音神通广大，若丝毫不提，必然引她怀疑。谎话只有半真半假，七分真三分假，才最能骗人。

我们先看猪八戒本人是怎么介绍的。

猪八戒说，当年因喝醉了酒调戏嫦娥，玉皇大帝打了他两千锤，差点把他打死。之后，他以灵魂状态被贬下界，投胎转世——从此也可以看出，沙僧所谓受刑乃是假话。没有任何人看到沙僧飞剑穿胸，沙僧也没有投胎转世，而是真身下凡。

本来，猪八戒投胎后应当是人身，是他自己不小心“错投了猪胎”。八戒恼恨，一口气把母猪与众小猪全部咬死。然后猪八戒就进山做了妖怪。

猪八戒虽然神通广大，可是天性好吃。那福陵山中人迹罕至，虽然八戒四处搜罗吃人，但也总是半饥半饱。正在此时，一个叫作卵二姐的人（妖）凭空出现。据八戒自己说，因他武艺高强，卵二姐招了他当倒插门女婿，并且请他做家长。卵二姐颇有家财，猪八戒生活无忧，很是快活。可惜，不到一年工夫，卵二姐竟然死了。全部的家产就落到了猪八戒身上。但猪八戒坐吃山空，没几年，家当败光，只能又出来吃人。

听完八戒这番话，观音点点头，告诉八戒：“汝若肯归依正果，自有养身之处。世有五谷，尽能济饥，为何吃人度日？”言下之意，只要八戒肯加入佛派，加入取经队伍，她管饱。

八戒大喜。

此后，猪八戒就不吃人了。为了活命，他不得不变化成黑胖汉子，跑到高老庄当女婿去了。

以上，就是猪八戒被贬下凡后到遇到观音前数百年的经过。但是，猪八戒只说了表面，还有很多东西没有说出来。

我们知道，猪八戒在天庭可是担任天蓬元帅（海军总司令），乃是天庭高层人员。他能够担任这个职务许多年，肯定有过人的神通，更有过人的心机。我们看取经路上猪八戒经常偷懒可唐僧从不怪罪就明白，猪八戒是深通为官之道的。

这样一个老谋深算的猪八戒，他说出来的真相，不过是冰山一角。

那么，真相到底如何？这个神秘的卵二姐究竟是谁呢？

我们在前文曾经提到猪八戒乃是太上老君的弟子，猪八戒下凡乃是太上老君反天计划的重要步骤。太上老君交给猪八戒的任务有两个：一是监视孙悟空，二是观察取经行动的进程。

猪八戒监视孙悟空，是为避免孙悟空和佛派走得太近，避免他完全脱离道派。监视取经队伍，是要看看三界仙人对取经行动的不同态度。太上老君虽然答应帮助观音，但扶助观音并非他的根本目的。太上老君的根本目的，是夺回对佛派的控制权。

猪八戒虽然是太上老君的弟子，可是，他在天庭当天蓬元帅，日子过得很悠闲，凭什么答应太上老君的要求，放弃仙箓，做个妖精呢？

一个原因是太上老君的身份在那里，猪八戒不敢不答应。所谓师命难违，太上老君既然可以传授猪八戒天罡变化，传给他九齿钉钯，也就可以轻易收回，让猪八戒什么都没有。

另一个原因是太上老君答应了猪八戒许多好处。若取经成功，猪八戒可以继续待在佛派做内应，两面吃香。若取经失败，猪八戒可以重回天界。

还有一个最关键的原因，是猪八戒爱上了广寒宫太阴星君麾下的一个嫦娥仙子。那个仙子对猪八戒也不反感——当猪八戒调戏时，嫦娥并没有大叫，而是躲闪。那太阴星君乃是太上老君一派重要的势力九曜中的一员。因天庭禁止男女仙人私下发生关系（神仙夫妻自然可以正常行房，生儿育女），太上老君提出，只要猪八戒答应下凡做内应，太阴星君也会让八戒的心上人嫦娥仙子下凡陪伴。

明白了吧？猪八戒的结发妻子卵二姐，其实就是月宫的嫦娥仙子。

有证据吗？

在《西游记》最早的几个版本中，卵二姐，其实写作“卯二姐”。唐僧出关时，遇上老虎精，那虎精叫作寅将军。这卯二姐能够召八戒为上门女婿，又住在深山云栈洞中，必然不是人类，极有可能是个兔子精。

有人说，月宫中只有一只玉兔。不对。大家受电视剧和传统神话影响太深了。在《西游记》原著中，月宫中不是仅仅住着嫦娥、吴刚、玉兔三仙，而是住着太阴星君以及麾下数以千计的侍女。这些侍女，都叫作嫦娥仙子。

或许，猪八戒喜欢的那个嫦娥，就是兔子修炼成仙的。只是因为法力不够强大，她在成仙后，仅仅是做了人家的侍女。

若非如此，卯二姐为何要招八戒为夫婿？八戒的理由是，“她见我有些武艺，招我做了家长”。其实，这个理由根本不成立。整个福陵山，根本就只有卯二姐一个妖怪。既然没有强敌，要武艺高强的猪八戒干吗？可见这只是一个说辞。

真相是，卯二姐和猪八戒早有约定，在猪八戒下凡时，卯二姐也跟着下凡。这也可以解释，为何猪八戒那么丑，投了猪胎后，卯二姐还主动招八戒做家长。

另外，卯二姐为何与八戒成婚仅仅一年，时间不长不短的就去世了呢？

有人说，因为八戒会“鏖战之法”——在四圣试禅心一回中，八戒亲口说出。因此，卯二姐婚后一年就死了。孙悟空初见高翠兰的时候，高小姐也脸色煞白，手足无力，看起来扛不住的样子。

其实，真正的原因是约定的日期到了，卯二姐必须重返天界。太上老君只是答应让卯二姐陪伴猪八戒一天。所谓天上一日，地上一年。虽然天上仅一天，却已经是人间一年。

多年之后，在天竺国收玉兔时，八戒再度和嫦娥仙子（卯二姐）相逢。八戒什么反应？

正此观看处，猪八戒动了欲心，忍不住跳在空中，把霓裳仙子抱住道：“姐姐，我与你是旧相识，我和你耍子儿去也。”

八戒一上来就把人家抱住，还说是旧相识（老相好），还要和人家耍子去（办事去）。若非猪八戒和嫦娥早有夫妻关系，猪八戒怎么会如此说呢?

第六节　八戒再娶

佛门戒律很多，流传最广的，号称“八戒”，即：一戒杀生，二戒偷盗，三戒淫，四戒妄语，五戒饮酒，六戒着香华，七戒坐卧高广大床，八戒非时食。这八大戒律，基本为佛门各宗派共同遵守。

《西游记》中的二师兄猪悟能，别号“八戒”。可是，他在正式加入佛派后，竟然还跑到高老庄上，娶了一个叫作高翠兰的女子。这可是公然破了“八戒”中的第三戒。一个奇怪的现象发生了，当唐僧得知这一现象时，对猪八戒没有丝毫的责备之意，就连观音、如来也丝毫没有追究八戒。

这是怎么一回事呢?

首先，当初观音给猪悟能定下的戒律与众不同。

观音遇上猪悟能，见识了他的本领后，主动发出邀请。老猪很矫情，提出做和尚太辛苦，会受饿。观音答应只要老猪能加入，管饱。老猪又提出：“我欲从正，奈何获罪于天，无所祷也。”言下之意，他得罪的是玉皇大帝，担心玉皇大帝会刁难。观音再度作出保证，只要前往西天走一遭，保证老猪彻底摆脱罪犯的身份。

在这样的条件下，老猪才加入取经队伍。临别时，观音对老猪的和尚生涯宣布了几条规矩。原文说："遂此领命归真，持斋把素，断绝了五荤三厌，专候那取经人。"

原来，观音要求的，是猪八戒从此之后必须断绝了五荤三厌，即在饮食上遵循戒律。

这五荤三厌指的是什么呢？

在传统佛教中，以大蒜、小蒜、兴渠、慈蒜、茖葱五种辛辣的食物为五荤，禁止僧众食用。道教则认为大雁有夫妇之伦，狗能忠心护主，乌龟象征君臣忠敬，因此，雁、狗、龟都不能吃，此为三厌。

正因为观音吩咐老猪，必须持斋把素，不吃五荤三厌，唐僧才给老猪取了个别名，叫作猪八戒。

观音为何不交代猪八戒不得杀生、不得偷盗、不得淫邪等，只是强调必须持斋把素呢？

有两个原因。

其一，戒杀生、戒偷盗、戒淫邪等"八戒"，乃是佛门的基本戒律，人人皆知，不需要另外强调。

其二，猪八戒在与观音谈话时，特别提到了自己很容易饿，而一饿就忍不住要吃人。正因为猪八戒是个标准而彻底的吃货，观音才会在吃上面提出特别要求：猪八戒你可以吃，可以多吃，但不得吃五荤三厌，必须持斋把素。若猪八戒能够在吃上面把持得住，其他方面也就好说一些。

相比其他三位，猪八戒是最不安分的一位。

孙悟空被压在五行山下动弹不了，自不必说。小白龙受戒后特意到鹰愁涧修养，沙和尚受戒后也从此不再吃人。唯独猪八戒，前面刚答应了观音，转身就去了高老庄，祸害高翠兰去了。

其实，猪八戒和高翠兰之间是有感情的。猪八戒有呵护高翠兰之心，高翠兰也有爱慕猪八戒之意。只是，高翠兰的父亲高太公不是良善之人。在猪八戒的努力下，高家在短短两年时间就过上了穿金戴银、吃喝不愁的幸福生活。可是，因为猪八戒是入赘女婿，有财产继承权，引发了两个大姨姐和姨姐夫的不满。他们怂恿高太公，以辱没门风为名，要求驱逐猪八戒，霸占全部家产。

不过，就算猪八戒对高翠兰动了真感情，可他在已经受戒当了和尚，取经人没几年就要到来的情况下，依然跑去成婚，这不是明摆着耽误高翠兰的一生吗？

事实上，在与猪八戒一起的日子，高翠兰的压力很大。一面是猪八戒的强势——将她关在小楼上，一面是父亲、姐姐的逼迫，到处请道士、和尚来降妖。生活在夹缝中的高翠兰，除了哭泣，还是哭泣。在猪八戒离开后，估计高翠兰将一直生活在妖怪老公的阴影中，备受姐姐与村人的嘲讽。

当然，若高翠兰意志坚定，熬到猪八戒成了正果，一切都将不同。以猪八戒的身份、地位，让高翠兰成为仙人，轻而易举。

不过，在加入取经团队之前，一切都是未知数。此时，猪八戒为何要娶高翠兰呢？

只能说，猪八戒是男人，而男人是冲动的动物。

猪八戒有两大缺点，一个是贪吃，一个是好色。观音以为猪八戒刚因为好色吃了大亏，被贬下界，应当会知道收敛。于是，只对他强调了戒吃，而忽略了戒色。

观音万万没想到，对于猪八戒来说，只要美色当前，一切都是浮云。

孙悟空经常叫猪八戒“呆子”，唐僧则多次夸赞八戒“老实”。其实，八戒既不是呆子，也谈不上老实。猪八戒玩起心眼来，远赛唐僧、猴哥，就是比沙和尚也毫不逊色。最典型的例子是，八戒一登场就撒了两个谎。

这两个谎言，骗过了观音，骗过了如来，骗过了唐僧，骗过了天下人。若非有一次猪八戒自己说漏嘴，估计到取经结束，同行十多年的孙悟空等人，也会被完全蒙在鼓里。

第七节 八戒撒谎

观音询问猪八戒来历时，猪八戒一开口就说了两个谎言。并且，说起谎言时，他面不改色心不跳，完全骗过了观音，达到了骗术高手的水准。

八戒撒了哪两个谎言呢？

先看原文：“（猪八戒）我不是野豖，亦不是老彘，我本是天河里天蓬元帅。只因带酒戏弄嫦娥，玉皇大帝把我打了二千锤，贬下尘凡。”

谎言一：被贬下凡的原因。

猪八戒说，自己本是掌管天河八万水军的天蓬元帅，只因调戏嫦娥，于是被贬下凡。

八戒的这个说法，骗过了很多人。多年之后，唐僧师徒到达灵山。如来在封赏五人时，评价八戒说：“猪悟能，汝本天河水神，天蓬元帅，为汝蟠桃会上酗酒戏了仙娥，贬汝下界投胎。”

如来这番话其实就代表着仙界对猪八戒经历的认定。

可是，猪八戒被贬下凡的真正原因，是因为调戏嫦娥吗？

不是。至少不全是。

八戒调戏嫦娥其实只是一场戏。八戒故意大喊大叫，引来纠察灵官。玉皇大帝本想灭杀八戒，幸亏有太上老君派骨干人马太白金星出面求情，于是才留得一条性命。

在《西游记》中，嫦娥不过是月宫中的一介侍女，身份卑贱。八戒以堂堂天蓬元帅之尊，调戏个把婢女，怎么就会引来杀身大祸呢？

其中必定还有隐情。

事实上，猪八戒所做的，不仅仅是调戏嫦娥，他还曾经做过两件严重侵犯玉皇大帝威权的事情。

在《西游记》第八十五回中，因草根妖怪南山大王狂妄而无知，猪八戒一时兴起，说出了自己被贬的真正隐秘。其中八句云：“掌管天河八万兵，天宫快乐多自在。只因酒醉戏宫娥，那时就把英雄卖。一嘴拱倒斗牛宫，吃了王母灵芝菜。玉皇亲打二千锤，把吾贬下三天界。”

原来，在趁醉调戏嫦娥，引来纠察灵官之后，猪八戒还强力拒捕，与天兵天将大战。

在大战时，猪八戒现出法相，乃一只千丈大野猪。他发起狂来，一嘴竟然把斗牛宫给拱倒了。斗牛宫是何处？玉皇大帝所在之处，正是斗牛宫，灵霄殿即斗牛宫中主殿。也就是说，猪八戒竟然从广寒宫一直战到斗牛宫，并且攻入斗牛宫。

且不止如此，还有下一句：“吃了王母灵芝菜。”

王母娘娘乃是《西游记》中最擅长培植草木的天仙。一般来说，奇草灵药都非常难种植。可是，王母娘娘竟然掌握了一种秘法，可以批量培育，并且药效不减。瑶池宫中的三千六百棵蟠桃树，就是她的代表作。除了种植蟠桃外，王母娘娘还种了许多好东西，比如八戒诗歌中的灵芝菜。

王母娘娘太牛了，竟然把灵芝也批量生产，将其如同蔬菜一样种植起来。这灵芝很珍贵，昔日万圣公主豁出性命才偷了一株下界。可八戒却把王母娘娘整块地的灵芝全部吃光了。

正因如此，王母娘娘勃然大怒。王母娘娘怒了，玉皇大帝的日子也不好过。于是，八戒就被判了死刑。

大家看八戒的自述诗，短短八句中，列明了他犯下了的三桩罪过：调戏嫦娥，擅闯天宫，毁坏仙草。

对于八戒来说，三桩罪过中，最轻的就是调戏嫦娥了。可是，为何八戒只提调戏嫦娥，而不提其他两桩罪过呢？

八戒擅自闯宫和毁坏仙草，乃是挑衅玉皇大帝的重大罪过。可是，八戒犯下如此大罪，玉皇大帝竟然不能将之处死，玉皇大帝很丢脸。

而作为一个男人，因追求（调戏）美女而被贬下凡，不算一件丢人的事情。至少八戒从不觉得自己丢人。八戒很聪明，他雪藏了自己和玉皇大帝的矛盾，只公开了大家最容易接受的罪名。

谎言二：前身是大帅哥，因错投猪胎，才变成了猪。

见到观音，八戒还说："一灵真性，径来夺舍投胎，不期错了道路，投在个母猪胎里，变得这般模样。"

对于自己的容貌，八戒充满了自卑。观音说他是成精的"野豕"，做怪的"老彘"，八戒急忙分辩。在以后的很多地方，猪八戒都在重复这一个经历：因为错投了猪胎，于是才变成了丑陋的猪模样。

事情真的是这样吗？

在见到孙悟空时，八戒曾经介绍自己的前生："自小生来心性拙，贪闲爱懒无休歇。不曾养性与修真，混沌迷心熬日月。忽然闲里遇真仙，就把寒温坐下说。劝我回心莫堕凡，伤生造下无边孽。"

这八句话是讲猪八戒在前生如何生活，如何遇上仙人指点进入仙途，其中没有一句提到自己是头猪。

可是，同样是在第八十五回中，猪八戒说漏嘴了，爆出了自己的第二个秘密。

八戒是这么介绍自己"前生"修仙的光辉事迹的："巨口獠牙神力大，玉皇升我天蓬帅。掌管天河八万兵，天宫快乐多自在。"

大家看看，玉皇大帝为何提拔猪八戒呢？因为猪八戒神力大。这里的神力，自然不仅仅是力气，而应当是神通。因八戒神通广大，于是玉皇大帝任命八戒为天蓬元帅。

那天蓬元帅时期的猪八戒是大帅哥吗？当然不是啊，他依然是巨口獠牙的野猪模样。

换言之，猪八戒其实根本就没有投胎。他此前就是由一头野猪修炼成仙。正因为是猪，他才评价自己“自小生来心性拙，贪闲爱懒无休歇”。所谓被贬下凡，投胎夺舍，却错投了猪胎，那都是谎言。

大家对比下唐僧和宝象国公主，就可以明白。唐僧是如来二弟子金蝉子转世，但一直到灵山，他也没有恢复金蝉子的记忆——他连灵山的路都不知怎么走。宝象国公主是天庭披香殿侍女下凡，可是，她对昔日的情郎黄袍怪也丝毫不认识。她一直想的，不是和黄袍怪再续前缘，而是请父亲派兵来捉拿妖怪。

也就是说，只要转世，前世的记忆、法力都会消失。

可是，猪八戒依然拥有“前世”的天罡三十六变，依然拥有“前世”的所有记忆。这也可以说明，猪八戒在撒谎，他本就是猪，根本就没有错投胎。

猪八戒的诸多谜团中，读者们最关注的，当是猪八戒的真正实力。那么，猪八戒到底有多强？

第八节　八戒实力

孙悟空和猪八戒一共有三次交手。

第一次交手，孙悟空变成高翠兰，挑逗猪八戒。谈话间，猪八戒说，就算是高太公请来了九天荡魔祖师，他也不怕。为啥呢？八戒和荡魔祖师是老相识，“他不敢怎的我”。

猪八戒有没有吹牛呢？没有。

荡魔祖师也叫荡魔天尊，还叫真武大帝，住在武当山。在传统神话中他可是尊贵得不得了的天帝。据说，盘古是开天辟地第一位天帝，玉皇大帝是第二位天帝，真武大帝是玉皇大帝卸任后的第三任天帝。人皇伏羲，就是真武大帝化身，炎帝、黄帝，乃是真武大帝之子。

不过，《西游记》中的真武大帝和传统神话很不同。真武大帝在西游世界也叫作“翊圣真君”，乃是“北极四圣”之一。北极四圣分别是天蓬元帅真君、天佑副元帅真君、翊圣保德储庆真君、真武灵应佑圣真君。猪八戒赫然在名单中。

《西游记》中没有说明“八极”是哪八位大仙，不知道是不是由北极四圣与南极四圣构成。如果那样的话，猪八戒可就是八极之一了。

孙悟空又说，听说太公请的不是荡魔祖师，而是五百年前大闹天宫的齐天大圣。猪八戒一听，有三分害怕说：“既是这等说，我去了罢，两口子做不成了。”孙悟空询问原因，八戒说：“你不知道，那闹天宫的弼马温，有些本事，只恐我弄他不过，低了名头，不像模样。”

猪八戒为何有三分害怕？那是因为他乃是北极四圣之首——天蓬元帅。以他的身份，没有必要和一个只会瞎胡闹的弼马温对抗。赢了，是应该的；输了，丢面子。

孙悟空认为猪八戒怕了，很开心，现出了本相。猪八戒化为狂风逃跑，孙悟空上前一棒望风打去，猪八戒化作万道金光，径直飞向福陵山。孙悟空驾着彩雾狂追，猪八戒在金光中飞遁。到了云栈洞，猪八戒“把红光结聚，现了本相，撞入洞里，取出一柄九齿钉钯来战”。

在这场追击中，有两点值得注意。

其一，猪八戒并非因为害怕打不过孙悟空才跑，而是九齿钉钯不在手中。等到拿了九齿钉钯，猪八戒就信心满满了。

其二，猪八戒化为金光飞遁的法术，绝对是堪比筋斗云的存在。虽然书中没有给猪八戒这种飞行法术单独命名，但从孙悟空紧紧追赶依然无法赶上看，应当也是八戒师父（即太上老君）依据八戒身体特性传授的独门绝学。

以上，是猪八戒和孙悟空的第一次交手。这次交手，主要比斗的是飞行速度。从战况看，两人平手。

第二次交手，是在云栈洞前。这次比斗的是战斗技能。九齿钉钯在手的猪八戒，丝毫不惧孙悟空。孙悟空也放下架子，询问猪八戒的来历。猪八戒于是把前尘往事一一说出。此前，猪八戒已经向孙悟空说明，自己会天罡变，根本不是寻常和尚、道士能对付的。在这次介绍中，猪八戒又把自己拜师学艺，得到九转大还丹而成仙；进入仙界，受封天蓬元帅，因调戏嫦娥，被贬下凡；等等，都说了出来。

之后，两人开战。书中说，两人从二更天（晚上九点到十一点）打到东方发白（凌晨三点到五点），“看看战到天将晓，那妖精两膊觉酸麻”，“那怪不能迎敌，败阵而逃，依然又化狂风，径回洞里，把门紧闭，再不出头”。

也就是说，孙悟空与猪八戒大战了六个小时左右，猪八戒又累又困，只能败下阵来。

能一打就是六个小时，说明在战斗技能上，猪八戒丝毫不逊于孙悟空。那么，猪八戒为什么败了呢？有两个原因。

一个原因是他贪吃爱睡。人家晚上到了高翠兰处，本是为了和妻子睡觉的。没想到和孙悟空一打就是六七个小时，到了凌晨三五点，这个点正是最困的时候。孙悟空则不然，他早就是金刚不坏之身，常年不吃饭、不睡觉都没关系。孙悟空的精神头，绝对是三界中变态的存在。

还有一个原因，猪八戒一番话刺激了孙悟空。取经路上，但凡有妖怪说孙悟空是弼马温，孙悟空必定会潜力激发，进入暴走状态。原著也说：“行者怎肯容情，举起棒，当头就打。”在暴怒状态下，孙悟空的武力有加成。

第三次交手，是猪八戒用九齿钉钯打孙悟空的头。

孙悟空看看天已经亮了，怕师父担心，就回高老庄。告诉师父情况后，孙悟空重回云栈洞。猪八戒正在睡觉呢——谁能像猴哥一样，不吃不睡还精神饱满？山门被捣坏，猪八戒从梦中惊醒，很生气。见面后，孙悟空嘲笑猪八戒的武器是个种庄稼的耙子，八戒不忿，说出了九齿钉钯的来历。

在说到钉钯威力时，猪八戒说：“何怕你铜头铁脑一身钢，钯到魂消神气泄！”

孙悟空听了哈哈大笑，伸出头让猪八戒打，结果一钉钯下去，孙悟空毫发无伤，猪八戒自己反倒震得手软脚麻。

有人认为，猪八戒是玉皇大帝派来暗杀孙悟空的，九齿钉钯的特殊技能，就是专克铜头铁脑。但没想到孙悟空在五行山下，吃了五百年的铜汁铁水，身体强度又进化了。猪八戒无奈，才放弃了暗杀孙悟空。

这个观点看似新颖，其实说不通。因为取经本就是玉皇大帝批准的，玉皇大帝的目的是要扩大佛派影响力，来制衡太上老君势力，从而使天界获得力量上的平衡。

我的观点是，孙悟空是太上老君布下的一道暗棋。以孙悟空性情，必然大闹天宫；以孙悟空之能，必然大败。太上老君暗中送给孙悟空仙丹，用八卦炉炼出火眼金睛神通，就是为保孙悟空不死。他就是要孙悟空被天庭抛弃，从而为日后取经一事做准备。

猪八戒则是太上老君的一道明棋。当然，这个明，是相对观音、玉皇大帝而言。他们知道猪八戒（天蓬元帅）是太上老君的人。让猪八戒加入取经队伍，重新获得一个正果，既给了猪八戒一个前途，也保全了太上老君的颜面。如来也知道八戒是太上老君的人。只是，他并不知道八戒被贬的真正原因。既然猪八戒被天庭抛弃，通过加入取经队伍，重新任用，也未尝不可。

不过，猪八戒与孙悟空这连续的三次比斗中，两人的行为疑点重重，都有放水嫌疑。

在遇到猪八戒之前，孙悟空是表态要帮助高太公灭杀猪八戒的。听了猪八戒修仙经历的介绍后，孙悟空却改变了态度。甚至在高太公坚持除掉猪八戒时，孙悟空还为猪八戒打抱不平，说人家是天神下界，怎么就配不上你女儿了？搞得气氛很尴尬。

孙悟空不单单是因为猪八戒任劳任怨，高太公家业大半是猪八戒挣来的才改变态度的，更主要的，是因为他听到猪八戒说会天罡变，且知道其飞行法术奇特，修仙经历奇特才改变的。

虽然孙悟空此时不知道菩提祖师究竟是谁，也不敢问猪八戒，但是，他对猪八戒的态度已经发生了变化——本是同根生，相煎何太急？

因此，在第三次来斗猪八戒时，孙悟空一改往日的好战脾气，任凭猪八戒打，还特别提到自己铜头铁脑的来历。孙悟空此刻已经觉得，菩提祖师就是太上老君。只是，他不敢挑明。

猪八戒自然也听懂了，但两个人都不说破。结果，两人也不打了，而是在一起聊天，最终聊到孙悟空是保护取经人前来的。猪八戒听后大喜，当即丢了钉钯行大礼。

第九节　八戒有绝招

猪八戒加入取经队伍后，两人组（委屈下白龙马，不将他计算在内）变成了三人组。这不单单是数字的变化，也是取经队伍矛盾激化的原因。

我们回顾一下，孙悟空初次加入取经队伍时，没走几天，就因为六贼事件，师徒二人闹翻。因骗孙悟空戴上了金箍，孙悟空气得挥起金箍棒，要把唐僧打死。最终，唐僧狂念紧箍咒不止，才勉强逃得一死。

此后孙悟空保护唐僧收白龙马，烧观音禅院，师徒二人的关系缓和了许多。但是，观念不和、力量悬殊这两个根本问题并不曾解决。只不过，由于在西行路上，妖怪邪魔对取经团队的威胁成为唐僧、孙悟空要面对的主要矛盾，所以他们自身的内部问题则退居为次要矛盾。

而此时，一个新人（猪八戒）的加入，使唐僧、孙悟空二人潜伏多时的矛盾被激化了。

在处理师徒关系上，猪八戒绝对是个高手。别看孙悟空是打斗高手，但在处理人际关系方面，还很单纯，一切只是凭着心性，想怎么说就怎么说。孙悟空的嘴是说痛快了，可是，不知不觉却伤害了其他人。

猪八戒不一样。猪八戒的本领并不弱于孙悟空多少，可处处表现得比孙悟空弱爆了。他打妖怪不如孙悟空，毛病也比孙悟空多——贪吃、好色、懒惰。可是，一个很奇怪的现象是，无论是唐僧，还是取经路上遇到的百姓，对猪八戒的喜欢程度远远超过孙悟空。

这是为什么呢？

因为老猪在天庭官场混迹多年，早就深通混世界的规则。在混社会方面，孙悟空可比老猪差远了。

在猪八戒加入后，原著用了很长的篇幅写师徒关系。

一天，唐僧一行走啊走，眼看太阳要落山了。唐僧说：“悟空，你看那日落西山藏火镜，月升东海现冰轮。幸而道旁有一人家，我们且借宿一宵，明日再走。”唐僧虽然前世乃佛子之身，可今生不过是一个凡人。眼看走了一天，人困马乏，肚中饥饿，他提出借宿化斋的要求，完全是可以理解的。

猪八戒马上说：“说得是，我老猪也有些饿了，且到人家化些斋吃，有力气，好挑行李。”猪八戒首先表态。但猪八戒可不是一味谄媚，他的理由很充分。因为只有吃了饭，休息了，才能恢复力气，才能更好地挑行李，继续为取经大业作贡献。

孙悟空训斥说：“这个恋家鬼！你离了家几日，就生报怨！”猪八戒明明说得在理，孙悟空为何还要批评猪八戒？因为孙悟空要通过贬低猪八戒，确保他师兄的地位，确保取经团队主事人的身份。

但在孙悟空痛批猪八戒的同时，一样要求借宿吃饭的唐僧必定脸色铁青，心中不爽，恨不得念几遍紧箍咒呢！

猪八戒说：“哥啊，似不得你这喝风呵烟的人。我从跟了师父这几日，长忍半肚饥，你可晓得？”猪八戒反驳道，猴哥你能喝风呵烟，我和师父可不能。

唐僧听到猪八戒有攀扯自己的嫌疑，赶紧表明态度：“悟能，你若是在家心重呵，不是个出家的了，你还回去罢。”

猪八戒知道师父有点怪自己了，慌忙下跪说：“师父，你莫听师兄之言。他有些赃埋人。我不曾报怨甚的，他就说我报怨。我是个直肠的痴汉，我说道肚内饥了，好寻个人家化斋，他就骂我是恋家鬼。师父啊，我受了菩萨的戒行，又承师父怜悯，情愿要伏侍师父往西天去，誓无退悔，这叫作恨苦修行，怎的说不是出家的话！”

猪八戒这番话说得绝对有水平。首先，他面对师父下跪，是明确表态：师父才是取经团队主事人，一切是非都由师父裁定。

其次，否定孙悟空。一口咬定孙悟空栽赃他，用心不良。自己根本没有抱怨，只是说肚子饿了，结果猴哥就上纲上线。

最后，表决心。自己受菩萨大恩，受师父怜悯，心甘情愿保护师父，绝对不会后悔。

听到八戒如此说，唐僧大为满意，说：“既是如此，你且起来。”

唐僧在处理此事时，没有询问孙悟空，那就是表示：一切我说了算。唐僧宣布猪八戒无罪，就等于在打孙悟空的脸——连师弟你也诬陷。只是，唐僧有点怕孙悟空，不敢明说。

不敢说，不等于不想说。眼前不说，不等于最终不说。

一行人走入村庄，见到一个姓王的老人。老王很好客，对孙悟空却很不客气。

这不客气是因为孙悟空说话太伤人。

唐僧见到老王，说要去西天取经。老王好心提醒，前方有妖怪，西天去不得，去东天吧。孙悟空气呼呼地冲上前说：“那老儿，你们这大年纪，全不晓事。我出家人远来借宿，就把这厌钝的话虎唬我。十分你家窄狭，没处睡时，我们在树底下，好道也坐一夜，不打搅你。”

老王吓坏了，拉住唐僧告状：“师父，你倒不言语，你那个徒弟，那般拐子脸、别颏腮、雷公嘴、红眼睛的一个痨病魔鬼，怎么反冲撞我这年老之人！”唐僧本该批评孙悟空无礼，可是没说，不敢说。

孙悟空说，老王你没眼色，我身材虽小，本领却大，当年还是齐天大圣，还大闹天宫，等等。孙悟空以为，说了这话之后，老王必定吓得尿裤子，对自己崇拜之至。

没想到，老王哈哈大笑说：“原来是个撞头化缘的熟嘴儿和尚。”所谓熟嘴，就是爱吹牛皮。

孙悟空恼了，说：“你儿子便是熟嘴！我这些时，只因跟我师父走路辛苦，还懒说话哩！”他强调，若非走路很单调，才懒得和你老王说话呢。

老王又笑了，当场就顶了猴哥一句：“若是你不辛苦，不懒说话，好道活活的聒杀我！”你还说你不爱说话，我都被你吵死了！哈哈，纵横三界的孙悟空，被老王好一顿奚落。若对方是妖怪，孙悟空必然要将其灭杀。可老王是人类一枚，孙悟空不能动粗。就算他想动粗，旁边还有虎视眈眈的唐僧盯着——你若出手，我就动嘴。

作为师父，唐僧本应该主动出面为徒弟澄清事实——我这大弟子，确实大闹过天宫，很厉害的——可是，唐僧一言不发，静静地看着悟空吃瘪。

后来，猪八戒上前，他那猪头猪脑把大家吓坏了。孙悟空说：“呆子不要乱说，把那丑也收拾起些。”见到孙悟空奚落八戒，唐僧打抱不平说：“你看悟空说的话！相貌是生成的，你教他怎么收拾？”孙悟空说的什么话？说的是胡话、鬼话。话语里唐僧对八戒的偏爱、对悟空的忌惮表露无遗。

后来，吃饭时间到了。唐僧和孙悟空都吃了两碗，猪八戒吃了十多碗，还嚷着添饭。

孙悟空数落说：“这个馕糠，好道撞着饿鬼了！”一点不给猪八戒留面儿。

还是老王会做人，帮忙说情：“这个长老，想着实饿了，快添饭来。”结果猪八戒一口气把人家锅里的饭全部吃了个干净，嘴里还嚷嚷着只是半饱。

吃饱了，大家睡觉。第二天出发时，老王很客气，又让妻子准备了汤饭做早点。

临别，老王说：“此去倘路间有甚不虞，是必还来茅舍。”老王本是一番好意，交代唐僧师徒若遇上危险，不能西去，请回来他家，必定还会管饭。孙悟空却说：“老儿，莫说哈话。我们出家人，不走回头路。”两句话把老王呛了个半死。面对如此一个吃饱了还放刁，完全不知道感恩的孙悟空，老王会怎么想？肯定想：只当我家的饭菜都喂狗了吧！

唐僧与八戒呢，虽然嘴上不好说孙悟空，可心中也必定怪罪。孙悟空如此做人，不是走一路，得罪一路吗？

对于猪八戒挑战自己在取经队伍的威权，孙悟空记在了心中。对于唐僧扶持猪八戒打压自己，孙悟空也看在眼里。孙悟空也是个精明的人，很多道理他都知道，只是有些时候不屑于顺着别人的意思去说、去做。没有傲骨的孙悟空，还配叫齐天大圣吗？

唐僧师徒一路西行，走到浮屠山。在这里，他们遇上了一个住在树上的奇人。此人名为乌巢禅师。乌巢禅师在整部《西游记》中的身份比菩提祖师还要神秘。关于他身份的猜测，也有许多。

那么，乌巢禅师是谁呢？

第十节　乌巢传经

在揭秘乌巢禅师身份之前，我们先看看他做了哪些事情。

第一，欲收猪八戒为徒。

进山之前，唐僧见山高，以为有妖怪，让孙悟空、猪八戒小心些。八戒说，没事，这山上有个乌巢禅师，自己以前会过他。唐僧问乌巢禅师的本领如何。八戒说：“他倒也有些道行。他曾劝我跟他修行，我不曾去罢了。”

从八戒的话语中可以看出，乌巢禅师法力高强，远在八戒之上。正因如此，乌巢禅师提出收八戒为徒时，八戒并不觉得自己受到了侮辱。只是因为种种原因，他没有答应拜师。

第二，认识猪八戒，不认识孙悟空。

乌巢禅师住在树上，见到三人经过，跳下来相见。唐僧行礼，乌巢禅师搀扶说：“圣僧请起，失迎，失迎。”从称呼唐僧为“圣僧”可知，乌巢禅师知道唐僧来历，甚至知道唐僧是金蝉子转世。

八戒上前行礼，乌巢禅师惊问道：“你是福陵山猪刚鬣，怎么有此大缘，得与圣僧同行？”乌巢禅师不但认识八戒，并且知道加入取经队伍乃是天大的法缘。取经，乃是玉皇大帝批准、如来主导、观音负责的一项大行动。有这么深的背景，取经几乎不可能不成功。那所谓正果金身，几乎就是唾手可得。

乌巢禅师此话，是呼应此前收徒之邀。八戒听明白了，解释说："前年蒙观音菩萨劝善，愿随他做个徒弟。"八戒的意思是，自己选择唐僧，并不是觉得唐僧比乌巢禅师强，而是观音面子太大。

轮到孙悟空，乌巢禅师却说："此人是谁?"孙悟空有点奇怪，就说："这老禅怎么认得他（八戒），倒不认得我?"乌巢禅师说："因少识耳!"真的是这样吗？这一点，我们下文再述。

第三，传授唐僧佛派顶级功法《摩诃般若波罗蜜多心经》（以下简称《多心经》）。

唐僧打圆场，介绍孙悟空身份，然后询问前程。乌巢禅师提出，路途遥远，妖魔众多，但不要紧，只要诵念《多心经》，任凭妖魔鬼怪众多，也不能伤害半分。

唐僧大喜，拜伏在地恳求相授。乌巢禅师就传授了二百七十字的《多心经》。书中说"此乃修真之总经，作佛之会门也"。原来，这《多心经》竟然是修习佛派功法的总纲，是万法中最顶阶的功法。

《多心经》是否真的有效呢？很有效。

唐僧此前虽然博览经书，熟知小乘佛法，但并没有领悟到修仙的真谛。可自从得到了《多心经》，唐僧犹如打开了一扇大门，从此"常念常存，一点灵光自透"。唐僧也开始踏上修仙之途了。

取经路上，唐僧屡次被妖怪擒拿，可一次也没死，这其中，《多心经》的护持很重要。

纵观《西游记》可以发现，唐僧到西天取经，取回的经书他没有看一页，就将其全部留在了唐朝。那为何唐僧到了后来就能霞举飞升呢？这正是因为沿途修习《多心经》的缘故。

第四，预言前途灾难，有未卜先知大神通。

唐僧学了《多心经》后，对乌巢禅师佩服极了，见人家要走，就扯住询问前程。乌巢禅师笑着说了几句话：“道路不难行，试听我吩咐：千山千水深，多瘴多魔处。若遇接天崖，放心休恐怖。行来摩耳岩，侧着脚踪步。仔细黑松林，妖狐多截路。精灵满国城，魔主盈山住。老虎坐琴堂，苍狼为主簿。狮象尽称王，虎豹皆作御。野猪挑担子，水怪前头遇。多年老石猴，那里怀嗔怒。你问那相识，他知西去路。”

或许有人会说，乌巢禅师哪里会什么未卜先知，只要熟悉西方路况，不都能知道西行会遇上什么妖怪吗？不是这样的，我们看诗句，里面提到了当时已经发生的事情，比如奎木狼已经在黑松林为妖，寿星的梅花鹿（精灵）要一百个小儿心肝，狮驼岭有狮子精、大象精，眼下是猪八戒挑担，等等。但诗句里还提到了此时还没有发生的事情——“老虎坐琴堂，苍狼为主簿”。这明明白白是说，在宝象国唐僧会被化为老虎，奎木狼坐在大殿饮酒作乐。从此处看，乌巢禅师真的是能未卜先知。

第五，乌巢禅师神通广大，孙悟空不能伤其分毫。

孙悟空听完乌巢禅师之言，很生气。唐僧上前拜谢，孙悟空竟然大怒，冲上去挥铁棒就打乌巢禅师，但没想到“莲花生万朵，祥雾护千层。行者纵有搅海翻江力，莫想挽着乌巢一缕藤”。

从被打出现莲花万朵、祥云千层可以看出，乌巢禅师的的确确就是一位佛派高人。孙悟空使尽力气，不但不能伤到乌巢禅师分毫，连人家的房子——乌巢，都伤害不了一分。

从此可见，乌巢禅师的法力高过孙悟空太多。

对孙悟空的发怒，唐僧很不解："悟空，这样一个菩萨，你捣他窝巢怎的？"孙悟空解释说，乌巢禅师骂他是石猴，骂猪八戒是野猪。猪八戒却一点不生气，他说："师兄息怒。这禅师也晓得过去未来之事，但看他'水怪前头遇'这句话，不知验否，饶他去罢。"

孙悟空无可奈何，只能就坡下驴了。

表面上看，孙悟空发怒是因为乌巢禅师笑话他是石猴。其实不然。石猴可不是什么蔑称。真正的原因是后一句"你问那相识，他知西去路"。乌巢禅师说，若要问西天路程，你问孙悟空就是，他以前就去过西天。

确实，孙悟空在拜师时就是从南赡部洲（大唐）走到西牛贺洲（西天）的。前面收白龙马时，他告诉唐僧，记得这个地方叫作鹰愁涧。西行将要去的许多国家，孙悟空的确早就到过。

问题就来了。什么人才知道孙悟空到过西天呢？孙悟空喜欢吹牛，但很少说自己有师父。唯一的一次是在花果山和猴子们说过，可那几万只猴子大都死了。这乌巢禅师怎么会知道呢？

要知道孙悟空当年拜别师父菩提祖师时，菩提祖师恶狠狠地说："凭你怎么惹祸行凶，却不许说是我的徒弟，你说出半个字来，我就知之，把你这猢狲剥皮锉骨，将神魂贬在九幽之处，教你万劫不得翻身！"

孙悟空天不怕地不怕，对师父菩提祖师却敬畏到了骨头里。因此听到乌巢禅师说他去过西天时，他才会暴怒。

那乌巢禅师为何会知道孙悟空最大的秘密呢？

依据上面五个事件，我们可以比较轻松地做一个排除法。

法力远高过孙悟空、猪八戒，有未卜先知之能的人，实力至少应当与如来、观音相当。但是，取经是如来主导、观音负责的，他们完全没有必要化身乌巢禅师搞这么一出。并且，乌巢禅师住在浮屠山许多年。而如来、观音都是大忙人，经常有人去请示工作，他们根本不可能长期化身待在浮屠山。

太上老君也有这个本事，但也没有这个必要。

会不会是弥勒佛呢？应该不会。弥勒在后文有出场，他派出了弟子黄眉在小雷音寺阻截取经队伍。他对于唐僧一行人一点不友善，和乌巢禅师的善意不符。

于是，与佛派相关的大神通高人，除了以上几位，就只剩下一人——佛派燃灯古佛。

前文我们说过，燃灯，是太上老君化胡为佛后指定的佛派第一代佛祖，可如今被如来取代，退居二线。在孙悟空大闹天宫时，燃灯和太上老君正在为诸仙讲道，没有亲眼见到孙悟空，是以他说不认识孙悟空，并非骗人。

以燃灯和太上老君的关系，他自然对孙悟空的来历一清二楚，于是才会说“多年老石猴，那里怀嗔怒，你问那相识，他知西去路”的话。

两人虽出同门，但以燃灯亿万年的修行，孙悟空一个后生晚辈，自然难以伤及其分毫。以燃灯佛派第一代佛祖的身份，创造出《多心经》这种短短二百七十字的佛派修行大法，那完全是可能且应该的。

八戒并不知道燃灯的身份，但应该猜得到太上老君会派人监视他。这乌巢禅师就是太上老君派来监视猪八戒的。乌巢禅师要收八戒为徒，就是要看看八戒会不会背叛太上老君。事实证明，八戒经得起考验。而至于八戒加入取经队伍，那是八戒本来就要执行的任务。

当然，燃灯在浮屠山多年，最重要的任务还不是监视八戒，而是把《多心经》传给唐僧。十世前，唐僧是如来的二弟子。可是，如来将唐僧逐出门墙，历经十世轮回磨难。而今生，燃灯要当唐僧的师父，传授其功法，攻占其内心。

事实证明，燃灯的做法很成功。唐僧日日修行《多心经》，最终获得大成，对乌巢禅师一直心怀感激。只要燃灯亮明身份，唐僧必然倒戈来投，成为燃灯对抗如来的强大助力。

第十一节 黄风大圣

高老庄故事后是黄风岭故事。在这里，唐僧师徒遇上了一个号称“大圣”的强大妖魔。

西游世界最有名的大圣，当然是齐天大圣孙悟空。在很多人眼中，“大圣”几乎就是孙悟空的代名词。

其实，在《西游记》中出现了多位大圣。花果山人间七大魔王结拜，即号称七大圣。只是，除了孙悟空外，其他六人都是有贼心没贼胆的怂货。大圣之名除了他们自己，外人根本不得而知。

但在黄风岭上的这位大圣，武艺超群，神通过人，更有一门绝学，堪称三界无双。这位大圣曾经大闹西天灵山，惹出的风波比孙悟空也不过略逊一筹。

齐天大圣大闹天宫后，被镇压在五行山下五百年，受尽了苦楚。可这位大圣，即便闯出大祸，却依然霸占八百里大山，称王称霸，逍遥自在。

这位大圣，就是号称“黄风大圣”的貂鼠精。

貂鼠精，通常被人称为黄风怪，也有人称他黄风大王。在书中第二十回，来自灵山的佛派护教伽蓝，则恭恭敬敬称其为“黄风大圣”，对这位大圣的神通和法术敬畏不已。

那么，这位获得佛派仙人认可的“黄风大圣”貂鼠精，究竟犯下什么大罪？为何犯罪后又能逍遥法外呢？

第二十回中，灵吉菩萨道出黄风怪的来历：“他本是灵山脚下的得道老鼠，因为偷了琉璃盏内的清油，灯火昏暗，恐怕金刚拿他，故此走了，却在此处成精作怪。”

灵吉菩萨的话语很简单，可是信息量很大。这句话不但道出了黄风怪的出身，更道破了其犯罪行为背后的玄机。

灵吉菩萨的意思是，这黄风怪因为偷吃了灵山雷音宝刹内琉璃盏中的香油，于是触犯了戒律。

这个罪名很可笑。

黄风怪拥有妖王级别的强大神通，为何还要偷吃香油呢？莫非雷音宝刹内琉璃盏中的香油有什么特别功效，吃了就能大幅度增进功力？

根本就不是。书中说得明白，偷吃灯油后，黄风怪发现“灯火昏暗”，怕守护大殿的金刚发现，于是逃走了。这也就是说，香油的作用只是照明。

如果说，灵山上的香油可以让一只普通的老鼠修真进阶，拥有一点点神通，这是有可能的。毕竟，灵山乃人间仙境，山上的普通花草在人间都是仙草灵药。但像那黄风怪，论武艺可以和孙悟空大战三十回合，论神通更拥有一口三界绝版的“三昧神风”。他这种境界的妖王，要想提升实力，除非获得什么天材地宝、绝世机遇，否则根本不可能再度进阶。

想要通过喝香油进阶，纯粹是个笑话。

在我看来，黄风怪偷吃香油，只不过是如来的一道命令。如来是要黄风怪以触犯戒律的方式离开灵山。

黄风怪下山的目的是什么呢？就是来到黄风岭上做妖怪，等候唐僧师徒的到来，以充作一难。

这黄风怪也着实自觉，重新做了妖王之后，虽然开了荤戒，却从不吃人，明摆着还在等候重归灵山。

也正因为如此，虎先锋抓捕了唐僧之后，黄风怪先是责骂虎先锋多事，然后把唐僧关在后院，只字不提吃肉的事情。当黄风怪被擒拿后，灵吉菩萨也出面劝阻孙悟空，说要拿黄风怪回灵山复命。

那么，黄风大圣的三昧神风到底有多厉害？

什么叫作“三昧”？在传统佛教与道教中，对此有着非常复杂的解释。在《西游记》《封神演义》这些神话小说中，其解释则相对简单。主流观点认为，所谓三昧，其实就是修仙者将体内的精、气、神三者汇聚而成的一种神秘力量。这种力量的外放方式有多种，可以外化为火，即西游世界威名赫赫的三昧真火；也可以外化为风，即本文所说的三昧神风。

原著中，孙悟空曾慨然说：“老孙也会呼风，也会唤雨，不曾似这个妖精的风恶！”

原著中对两人呼风的描写，几乎一模一样。他们都是朝着巽地上张口，然后一口气吹出去，顿时就会狂风大作。只是，孙悟空弄的风，只能刮起凡人、凡马，对于仙人很难造成实际的伤害。黄风怪的风则不然。

黄风怪的风究竟有多厉害？在原著中有一段诗歌夸赞黄风怪的三昧神风。诗歌很长，我节选其中重要的句子，如下：

“冷冷飕飕天地变，无影无形黄沙旋。碧天振动斗牛宫，争些刮倒森罗殿。白莲花卸海边飞，吹倒菩萨十二院。盘古至今曾见风，不似这风来不善。嗯喇喇乾坤险不炸崩开，万里江山都是颤！”

以上种种，大体就是说，黄风怪一吹起三昧神风，可谓天地震动。称三昧神风为三界第一神风，也不为过。

只是，诗歌中把三昧神风描写的几乎秒杀天地诸仙，仿佛连太上老君、王母娘娘都畏惧这神风，这牛吹得是不是有些过呢？

第十二节　神风隐秘

黄风怪曾经施法，以三昧神风战退孙悟空。我们结合原著，看看三昧神风的实际效果如何，就可以推知上文那首诗到底是写实，还是在吹牛。

孙悟空先是施展身外化身，以百十个孙悟空把黄风怪包围起来。“那怪害怕，也使一般本事。”从那怪害怕可以知道，若黄风怪再不施展绝活，就会被孙悟空拿下。

黄风怪施展三昧神风，“就把孙大圣毫毛变的小行者刮得在那半空中，却似纺车儿一般乱转”。孙悟空施展的身外化身，具有本体的一部分威能。三昧神风能将小孙悟空吹飞，足见拥有一定的威力。但是，孙悟空的本体有没有被吹走呢？没有。

原文说：“慌得行者将毫毛一抖，收上身来，独自个举着铁棒，上前来打，又被那怪劈脸喷了一口黄风，把两只火眼金睛，刮得紧紧闭合，莫能睁开，因此难使铁棒，遂败下阵来。那妖收风回洞不题。”

孙悟空与黄风怪乃是近身搏斗，彼此距离很近，顶多三五米。在这么近的情况下，黄风怪只能吹飞毫毛，却不能吹飞孙悟空的本体。不但不能吹飞孙悟空，孙悟空还能迎风而上，上前来斗。

这说明什么？说明这三昧神风的杀伤力还不够强大。

在1986年央视版电视剧《西游记》中，孙悟空被三昧神风吹瞎了眼睛，只能在风沙中胡乱寻找猪八戒。那一个桥段，曾让我觉得三昧神风实在强大。

事实是什么呢？黄风怪是劈面吹风，也就是说是在超近距离施法。在突然遇袭的情况下，孙悟空眼中受了伤，只能闭上眼睛，撤离战场。但孙悟空的眼睛是不是瞎了呢？根本没有。等退出黄风怪的施法范围后，孙悟空就睁开了眼睛，去寻找猪八戒。

见到八戒时，孙悟空提到了眼睛的伤势，说：“我被那怪一口风喷将来，吹得我眼珠酸痛，这会子冷泪常流。”

黄风怪的风，不是单纯的风，是风中有沙。形象点说，就是沙尘暴。孙悟空的眼睛，其实是因为突然进了不少黄沙，受了一些轻伤。后来，护教伽蓝变化出一座庄园，给孙悟空送来眼药，孙悟空的眼睛也就立刻复原了。

事实上，黄风怪三昧神风的威力比起铁扇公主的芭蕉扇来，差得不是一点半点。芭蕉扇一扇之下，就连大罗金仙，那也要被吹飞八万四千里。

既然黄风怪的三昧神风实际的杀伤力有限，为何作者还要花那么大的篇幅来写三昧神风的神奇威力呢？

在那首夸赞三昧神风的诗歌中，其实隐藏着佛派的一个重大秘密。

三昧神风中隐藏的惊天秘密到底是什么呢？

这个秘密和狮魔、象魔下山有关。

在后文文殊与普贤的表述中，狮魔和象魔都是不慎走失的。事实上，狮魔、象魔根本就不是因狮奴、象奴看守不慎溜走的，而是被文殊与普贤放纵下山，在唐僧取经行动中充作一难。

与狮魔、象魔同时下山的，还有许多妖魔，其中之一就是号称“黄风大圣”的黄风怪貂鼠精。

我们再看描绘三昧神风的那首诗歌：

“五百罗汉闹喧天，八大金刚齐嚷乱。文殊走了青毛狮，普贤白象难寻见。太上老君难顾炼丹炉，寿星收了龙须扇。王母正去赴蟠桃，一风吹断裙腰钏。二郎迷失灌州城，哪吒难取匣中剑。天王不见手心塔，鲁班吊了金头钻。雷音宝阙倒三层，赵州石桥崩两断。龙王遍海找夜叉，雷公到处寻闪电。十代阎王觅判官，地府牛头追马面。这风吹倒普陀山，卷起观音经一卷。”

乍一看这首诗歌，仿佛是在描写黄风怪大战孙悟空时的场景。可仔细一看，许多地方对不上。

哪里对不上呢？诗歌描绘的并非眼前，而是过去。

换言之，在多年前，黄风怪曾经大展神通，以全身三昧之力，召唤了一场震动三界的神风。正是那场神风，为他赢得了大圣的美名。

那么，那场震动三界的神风发生在何时？神风背后又隐藏着什么秘密呢？

首先，时间可以明确，是在取经之前的一百四十余年。

诗云：“王母正去赴蟠桃，一风吹断裙腰钏。”

五百年前，孙悟空大闹天宫，如来基本定下取经（传经）的计划。在下一届蟠桃会，即三百六十年后，如来已经和天庭都开始行动起来。

其次，如来做出了许多秘密安排。

安排一："五百罗汉闹喧天，八大金刚齐嚷乱。雷音宝阙倒三层，赵州石桥崩两断。"

三昧神风起源于灵山，给灵山造成的破坏也最大。

结合前文对黄风怪出身的推测，可以知道，当时黄风怪奉命偷油，故意惊动了看守的八大金刚。八大金刚责任在身，立刻展开追捕行动。可是，黄风怪施展顶级三昧神风，把大雷音寺也吹倒了三层，造成了重大破坏。如来震怒，派出五百罗汉追击。可是，这么多人出马竟然还是抓不住黄风怪。

安排二："文殊走了青毛狮，普贤白象难寻见。"

前文我曾经提到，所谓狮魔王大闹天宫，纯属吹牛。结合本诗可以明确，狮魔是在陪同文殊菩萨参加蟠桃会时走丢的。当时三昧神风吹到，狮魔与白象一起逃走，躲到狮驼岭去了。

安排三："这风吹倒普陀山，卷起观音经一卷。白莲花卸海边飞，吹倒菩萨十二院。"

三昧神风吹到普陀山（也叫落伽山）时，观音也趁机行动。

诗歌中说，观音的经卷被吹飞了一卷。极有可能这被吹飞的经卷，正落到了池水中的金鱼精（后来吃童男童女练功的那位）手中。又说"白莲花卸海边飞"，这金鱼精八成就在那时，把吹飞的白莲花带走，炼化为兵器。这白莲花打造的兵器着实厉害，与金箍棒大战，也丝毫不落下风。

最后，三界的各派势力在神风到来时，都有不同的动作。

可以说，神风到来犹如一枚信号弹，仙界各方纷纷行动。

玉皇大帝开始清理天庭敌对势力，一方面贬斥太上老君派骨干、天河水军统帅猪八戒下凡；另一方面，为监控取经行动，将自己的心腹卷帘大将沙僧也贬斥下凡。

诗云："太上老君难顾炼丹炉。"这句话暗示了什么？不就是说，神风到来时，太上老君避风去了，也顾不上炼丹，结果负责看守丹炉的两个童子，偷了太上老君的宝贝下凡去了。在平顶山莲花洞，两个童子化身为金角大王、银角大王，逍遥自在了许多年。

一百四十余年前的这场怪风，其背后竟然有如此多的秘密。

黄风岭之后是流沙河，在这里，唐僧收了他最后一个徒弟沙和尚。沙和尚沉默寡言，貌似忠厚，其实心机最深沉。

当初遇见观音时，和八戒一样，沙和尚也撒了两个弥天大谎。沙和尚撒了什么谎呢？

第十三节　沙僧背景

越是聪明的人，撒的谎越完美，越不容易被戳穿。

前文分析过猪八戒撒的两个弥天大谎。相比老猪，沙和尚沉默寡言，一直都是"老实人"的代名词。不过，大家千万不要被表象迷惑。

所谓"大智若愚"，说的就是沙和尚。

沙和尚撒了什么弥天大谎呢？

与老猪一样，其谎言都出自加入取经团队前，对观音介绍自己来历的那段话。

沙僧说："菩萨，恕我之罪，待我诉告。我不是妖邪，我是灵霄殿下侍銮舆的卷帘大将。只因在蟠桃会上，失手打碎了玻璃盏，玉皇大帝把我打了八百，贬下界来，变得这般模样。又教七日一次，将飞剑来穿我胸胁百余下方回，故此这般苦恼。没奈何，饥寒难忍，三二日间，出波涛寻一个行人食用。不期今日无知，冲撞了大慈菩萨。"

一个撒谎的高手，如何让对方难以识破自己的谎言呢？要争取做到话语中七分真三分假，甚至是九分真一分假。

撒谎者为何要撒谎呢？因为撒谎对他有利。

沙僧的这段话中，哪些是真相？

沙僧说自己是灵霄殿前卷帘大将，这是真。在蟠桃会上打碎了琉璃盏，这也是真。玉皇大帝将沙僧当众打了八百下，贬下凡间，这还是真。

观音乃五方五老之一，身份尊贵。依据蟠桃会前七仙女的介绍可以知道，从久远之前，蟠桃会每一届的邀请名单上都有南海观音。孙悟空被镇压五行山后的三百六十年（天界一年），王母如期举行蟠桃会，观音当然也参加了。在那一次蟠桃会上，发生了许多事情，比如会上沙僧打碎了琉璃盏，会后猪八戒调戏嫦娥、大闹斗牛宫等。对这些事，观音应该都知道。

沙僧还说了什么实话呢？"三二日间，出波涛寻一个行人食用。”关于这吃人杀生的部分，也是实话。

那沙僧在哪些地方撒谎了呢？

主要有两处。

其一，我不是妖邪。

妖，在西游世界有着明确的定位，由非人类修炼成精（成精，即修为超过最低级仙的境界），都是妖。在达到强大妖魔的境界后，妖将有机会进入天庭。若获得天庭编制，那就脱去妖名，成为仙。大名鼎鼎的二十八宿大都是非人类成仙，昴日星官的本体就是大公鸡。如果没有进入天庭，他们就只能一直背负妖怪之名。强大的妖，即会被称为魔王。

沙僧说自己不是妖邪，而是卷帘大将下界，这是在模糊一个概念——难道说，有了仙界编制的卷帘大将就一定不是妖怪出身吗？当然不是。

沙僧是妖非人。有两大证据可证明。

一个是沙僧的容貌古怪，绝对非人类。

沙僧长什么样？

原文说：“青不青，黑不黑，晦气色脸；长不长，短不短，赤脚筋躯。眼光闪烁，好似灶底双灯；口角丫叉，就如屠家火钵。獠牙撑剑刃，红发乱蓬松。一声叱咤如雷吼，两脚奔波似滚风。”

这沙僧绝对凶相十足。一头红发，一张青黑脸，一双如灯大眼，一张血盆大口，獠牙如同利剑——这活脱是传说中的凶神恶煞。

沙僧为何长成这样？他自己说，是因为被打了八百板子，被飞剑穿胸，才变成如今这副模样。言下之意，以前人家很帅的。

事情真的是这样吗？

当然不是。沙僧原本就是妖，本就长着一副凶神恶煞的模样。

且看熟人揭底。

在沙僧的自述诗中，我们找不到一点他是妖怪的证据。不过，沙僧掩藏得再好，也无法堵住所有人的口。在一些老相识的介绍中，我们可以发现蛛丝马迹，来证明沙和尚是妖不是人。

唐僧师徒在浮屠山遇上乌巢禅师。临别时，乌巢禅师留下一首诗，其中有这样四句："野猪挑担子，水怪前头遇。多年老石猴，那里怀嗔怒。"

乌巢禅师提出，猪八戒是野猪成精，孙悟空是石猴成精，那沙和尚呢？沙和尚是水怪。

西方世界本土势力最大的妖魔，当属牛魔王。牛魔王交友广阔，在许多年前就认识了猪八戒和沙和尚。他是这么介绍两位老友的："我闻得唐僧在那大路上等候。他二徒弟猪精，三徒弟沙流精，我当年做妖怪时，也曾会他。"

在这里，牛魔王称呼沙僧为沙流精。

从以上两人对沙僧的称呼可以看出，沙僧是妖非人。只是，沙僧的本相到底是什么呢？

流沙河，在现实世界中明显是沙漠的代名词。在《西游记》中，它成了一条真正的河。沙僧是这河中的水怪。牛魔王口中的沙流精，依然是水怪。但至于沙僧到底是什么怪物，书中没有充足的证据。

其实，在《大唐三藏取经诗话》中，讲到沙漠中有深沙神作祟。深沙神（沙漠之神）就是沙僧的原型。正因如此，牛魔王才会称沙僧为沙流精。

其二，每七天被飞剑穿胸百次。

很多人在解读沙僧的长相和性情时，经常喜欢拿这句话说事。他们认为，正因沙僧受飞剑穿胸酷刑，于是才憋成了青黑色脸，取经路上才沉默寡言，不出风头。

其实，沙僧所说的每七天被飞剑穿胸，纯粹是个谎言。

有何证据呢？

我们细看原文，沙僧的意思是说，在被贬下凡后，玉皇大帝依然没有放过他，每隔七天就派人用飞剑来穿他的胸一百多次。百年如一，因此烦恼。

可是，观音到来时，有没有看到任何天庭行刑者的身影呢？没有。

何况，“天上一日，下界一年”。沙僧说自己七天一次飞剑穿胸，就意味着行刑天使在天界每隔二十八分钟就要下界一次。这节奏是要折磨沙僧呢，还是要折磨行刑天使呢？

不久之后，观音遇上被绑在空中的小白龙，她当即去了天庭。面见玉皇大帝时，观音只是提到需要小白龙做取经人的脚力，但只字未提沙僧的事情。若沙僧真是正在服刑，观音怎么可能不向玉皇大帝禀明情况，就擅自收编沙僧呢？

事实上，猪八戒犯下三桩泼天大罪，不过是被痛打一顿，贬斥下界。他的罪过比沙僧可严重多了。沙僧打碎了一个杯子，若真是不但被打了八百下，还要承受飞剑穿胸之苦，这罪与罚之间，是不是太不成正比了？

沙僧被贬的真正原因，是因为奉玉皇大帝之命下界，打入取经队伍。沙僧本是玉皇大帝最亲信之人——不是心腹能让沙僧做侍卫长？摔杯子只是芝麻小事，玉皇大帝却公开责打沙僧八百下，并将其贬斥下界。玉皇大帝的意思就是要表明自己公正严明，不徇私情。

那么，沙僧为何要撒谎，说自己受飞剑穿胸之苦呢？

他的真正目的，是要传递一个信息：我和玉皇大帝已经闹翻了，我加入取经团队的目的很纯洁。

第十四节　沙僧入伙

沙和尚在流沙河的第一次出场，是他精心策划的一场出场秀。在这场秀中，沙和尚闪亮登场，一举奠定了自己在取经团队中不可或缺的地位。

有证据吗？有。我们细看此回，细瞧沙和尚的每一步行动。

第一步，跳出流沙河，擒拿唐僧。

话说唐僧师徒三人离开了黄风岭，走啊走，看到前方一条大河。唐僧看到河面宽广，一望无涯，吓了一跳。孙悟空跳上空中观看，之后告诉唐僧，这河少说也有八百里宽，至于长度，没有八千里，也有一万里。总之，只能渡河，无法绕道。见河边有一石碑，三人都跑去看。石碑上写着："八百流沙河，三千弱水深。鹅毛飘不起，芦花定沉底。"

唐僧一看，心灰意冷。正在叹息间，忽然河面浪涌如山，波翻若岭。在滔天巨浪中，一个凶狠的妖精跳了出来。

这个妖精好丑：一头红发新潮另类，两颗怪眼又大又圆，一张脸蛋黑中带绿，脖子上还挂着九颗骷髅头做成的项链。时尚中掺杂着浓浓的恐怖气息，好一个非主流妖精。

这个从水中跳出的妖精，自然就是卷帘大将军，即后来的沙和尚。他显然在暗处窥探已久，出现后直奔唐僧，伸手就要来抓。

早在多年前，观音就交代沙和尚，以后不要再杀生害命，在流沙河好好等待取经人。沙和尚答应得很好，此后多年也没有再吃人。可是，他眼下为何要吃唐僧？难道他看不出来唐僧三人都是和尚打扮？明摆着人家三人就是取经团队，为何沙和尚还要抓唐僧呢？

沙和尚嘴馋了？当然不是。

沙和尚以前干什么出身？人家当了许多年（可能是几千几万年）的卷帘大将军，干的就是保护玉皇大帝的活。做这个工作，首要的，就是严谨，就是守规矩，就是一切听上级的。就算观音不在，沙和尚也绝不会再吃人。他此次下界，身上还背负了玉皇大帝的神秘嘱托——打探一切有关取经团队的信息。

沙和尚真正的目标根本不是抓唐僧，而是要找个理由和取经团队打一仗。否则，沙和尚为何没有在孙悟空追到河边想二打一时，选择偷袭手无缚鸡之力的唐僧，而是选择干脆逃离呢？

只有打一仗，沙和尚才能让唐僧，让孙悟空、猪八戒知道自己的真本事，以后才不会被小瞧。

第二步，与猪八戒陆战，平手。

沙和尚刚露面时，猪八戒上前与他战在一处。两个人一句废话也没说，一打就是二十个回合，不分胜败。就在此时，孙悟空抛下唐僧赶了过来，挥起金箍棒就打。沙和尚一见孙悟空，掉头就跑，钻入流沙河深处不出来了。

猪八戒和沙和尚虽然没有说话，但彼此是知道对方身份的。为什么这么讲？

沙和尚是卷帘大将军，猪八戒是天蓬元帅，两人以前虽然不在一个系统任职，但彼此肯定见过面。就算猪八戒投了猪胎改换了容貌，沙和尚被飞剑穿胸憋青了面皮，但是两人的武器没变。

猪八戒的九齿钉钯，是天庭第一神兵。沙和尚的降魔宝杖也是灵霄殿镇殿之宝。他们对彼此的兵器不可能没见过、没听过。

可为什么他们一见面什么话都不说，直接开战呢？

前面说了，沙和尚想通过一战，证明自己的实力。猪八戒呢，也急需打一场来抬高自己的地位。

猪八戒加入取经队伍后，只是打了一个虎先锋。但那还是孙悟空把虎先锋打败了，一路赶过去，送给猪八戒打的。孙悟空当时说：“兄弟，这个功劳算你的！”当时猪八戒很高兴，可事后想想，肯定不是滋味。什么叫作算你的？孙悟空明摆着是说，功劳其实是我的，我不屑和你争罢了。此后，孙悟空独战黄风怪，打了个大败仗，猪八戒更不敢出头了。

一路走来，猪八戒没少被孙悟空奚落。眼下，有个水怪出场，猪八戒当然要重塑雄风，建立威信。

就算这个水怪是老相识卷帘大将，那也先打一场再说。因为这一场战斗是师兄弟排名战。

师兄弟排名，自然是谁先跟着师父谁是师兄。从唐僧这里论起，自然是孙悟空排第一。可若从观音那里论起，第一个收的，可是沙和尚。

沙和尚为何不与孙悟空打？只因当年他亲眼看见孙悟空大败天将。当时虽然有人放水，可是沙和尚明白，自己一人单挑猪八戒、孙悟空两人是没有胜算的。

既然无法取胜，那就不要丢脸。学会藏拙，是一个成功者必备的素质。

加入队伍的第一战，只能胜，不能败。至少，也该是平局。

第三步，与猪八戒水战，依然平手。

取经路上，猪八戒和沙和尚经常隐藏实力，但是，在孙悟空战猪八戒，猪八戒战沙和尚这两次，他们三人是出了全力的。

他们没有加入取经队伍之前，都觉得自己很重要，打架自然也卖命。等时间一久，他们就会发现，取经只是一场戏。来抓唐僧的妖怪，几乎都是观音安排的，吓唬吓唬、意思意思也就算了，绝对不会真的为难取经团队。而且除了孙悟空、猪八戒、沙和尚三人保护唐僧，还有什么六丁六甲、五方揭谛、十八护驾伽蓝一大波道佛两派仙人都在保护唐僧。万一打不赢，还可以上天请神仙或去南海请观音。

既然如此，谁还会卖力呢？

回到沙和尚这两战。陆战，沙和尚与猪八戒打了个平手；水战，二人又打了个平手。

猪八戒在水下和沙和尚大战时，嘲笑沙和尚用的是哭丧杖。沙和尚大怒，介绍自己宝杖的来历。但猪八戒并没有与沙和尚相认，而是继续嘲笑。两人打了三十个回合，依然不分胜败。猪八戒诈败往水面上撤，沙和尚却不来追。人家早就知道，孙悟空就在岸上等着呢！

沙和尚为何要这么做？他就是要用实力证明，你们打不过我。没有我，你们过不了流沙河。

第四步，等候观音（木叉）前来，立刻归顺。

之后，任凭孙悟空和八戒如何挑逗，沙和尚就是不出来。实力已经展示了，沙和尚就不想再把矛盾激化了。

孙悟空也很聪明，想起从五行山一路走来的情况，但凡遇上强大妖怪，八成和观音有关系。想到这，孙悟空说走就走，来到南海。观音训斥说："你若早说出取经人的事情，他必定早早来投。"孙悟空会心一笑。

不单单是猪八戒认出了沙和尚，连孙悟空也是认出了的。毕竟他在天宫也待了小半年（人间的一百六七十年）。并且，那半年里，孙悟空可没闲着，普天仙佛几乎都成了孙悟空的朋友。孙悟空还会不知道拥有降魔宝杖的卷帘大将？

孙悟空也是想用武艺证明自己——大哥的江湖地位，是无人可以撼动的。

既然人家不上来陆战，水战自己又打不赢，局面就陷入了僵局。游戏玩不下去，那就不玩了吧！

观音估计也猜出了三位师兄弟心中的小九九，有点生气，自己就没出山，而是派徒弟木叉拿着葫芦去了。木叉站在空中一喊："悟净，悟净！取经人在此久矣，你怎么还不归顺！"沙和尚一听大喜，原文说："他笑盈盈，上前作礼道：'尊者失迎，菩萨今在何处？'"沙和尚的本意，是想让观音来当介绍人。

只是，沙和尚没有想到，人家观音也精明着呢！你想狐假虎威，人家偏不借给你威，派个木叉来，算看得起你了。沙和尚也没有多计较，观音的意思到了就行了。他叩拜了师父，然后拿出九个骷髅头，放在葫芦上，这样师徒四人就渡过流沙河，西行去也。

说到这里，略微提下沙和尚脖子上的九颗骷髅头。《西游记》中这流沙河乃是一条怪河，浮力极小，所谓"鹅毛飘不起，芦花定底沉"。沙和尚吃的无数人头都沉落水底，"惟有九个取经人的骷髅，浮在水面，再不能沉。我以为异物，将索儿穿在一处，闲时拿来顽耍"。

有人说，沙和尚吃的九个取经人，就是唐僧金蝉子的九次转世。这说法不对。首先，如来策划取经很早，但其真正开始实施，书中有明确的时间。如来说："自伏乖猿安天之后，我处不知年月，料凡间有半千年矣。"也就是说，在孙悟空大闹天宫五百年后，取经行动才开始。既然如此，金蝉子的前世怎么可能取经呢？

并且，若金蝉子接连九次都被沙和尚吃掉，如来为何不早早派人灭了沙和尚呢？若接连九次被吃，金蝉子和如来不都显得好傻吗？

正确的理解应当是，沙和尚吃的这九个和尚，因为修行佛法，都有了点佛力，因此头骨不沉。这也为后文唐僧师徒借助九个骷髅头，顺利渡过浮力超小的流沙河，埋下了伏笔。

第十五节　主事之争

沙和尚入伙后，组队工作就完成了。毫无法力的唐僧，凭啥能够带领凶狠、神通广大的猴、猪、沙三妖，坐上主事人的位置呢？

说孙悟空、猪八戒、沙和尚三人凶狠，一点都没说错。

猪八戒自己说，在福陵山云栈洞吃人度日。沙和尚也表白，自己每隔两三天，就要出水擒拿一两个人来充饥。

孙悟空自小修行，从不吃人。但是，他虽不吃人，却不介意杀人。在被唐僧逐回花果山时，他因心中郁闷，吹一口仙气，变作狂风，直接把一千多人全部摔死。之后，他鼓掌大笑，连称："造化，造化！"

唐僧乃一介凡人，毫无法力。取经路上，就算是一个寻常小妖，都可以将他随意欺凌。如此无能的唐僧，为何能成为取经团队主事人呢？

其一，背景深厚。

唐僧经历十世轮回，虽记忆消失，法力全无，但毕竟曾经是如来驾下二弟子金蝉子。对于仙佛来说，他们的寿命动辄千万年，五百年的十世轮回，不过是短短一梦。

在如来宣布取经计划前，就已经认定唐僧是未来的取经人。这一点，观音最为了解。把金蝉子安排转世，投入殷温娇腹中的，正是观音。观音从西天出来，前往东土，明面上是寻访合适的取经人，其实就是寻访金蝉子。

金蝉子的身份，就是唐僧最大的资本。在“真假美猴王”故事中，沙和尚就曾挑明说，除了唐僧亲去，任凭谁，就算到了灵山，佛祖也不会传经。

其二，确立名分。

所谓“名不正则言不顺”。“名”，即名分，对应着唐僧，就是师父的名分。

在观音出行时，如来交代：“假若路上撞见神通广大的妖魔，你须是劝他学好，跟那取经人做个徒弟。”

为何要收妖魔做徒弟，而不是做个帮手？若孙悟空三人与唐僧是合伙人关系，大家地位平等，遇到事情，唐僧就只能商量，而不能命令。

因此，从一开始，观音就交代唐僧，给你找的三个是徒弟。

唐僧也很聪明，立刻明白了其中含义。

于是，在每次收徒之时，唐僧必定会完成一个不可缺少的环节——取名。

初遇孙悟空，唐僧要给取名。孙悟空说自己有名字了。唐僧就说："我再与你起个别名，称为行者，好么？"

高老庄遇到猪刚鬣，老猪说，观音给取名叫作猪悟能。唐僧就给取了个别名，叫作猪八戒。

流沙河遇上沙僧，唐僧又要给取名。人家说，观音给取了，叫作沙悟净。唐僧还是给取了一个别名，叫作沙和尚。

观音和唐僧为何都一定要给三人取名？

在佛门受戒时，一般都有师父取名一环。徒弟接受法名，就等于认可师父，加入门墙。

观音有大智慧。她虽然是奉如来法旨下山，甚至可以说，如来早就暗中交代，所谓强大妖魔，就是孙悟空三人。可是，在观音的言谈举止中，把这一切都雪藏起来了。

而为三人取名，也就等同招募三人加入其麾下。

唐僧坚持取别名，也是要明确彼此的师徒关系。古代的师徒可不像如今的老师和学生。古时候讲究"天地君亲师"，师父是列入五常之列的，拜见老师要行磕头大礼。而有师徒名分在，三个徒弟也不敢过于放肆。

其三，奇宝制人。

唐僧是如来二弟子的转世，这一点可以吓倒很多人，可是，吓不倒孙悟空。

于是，如何驾驭孙悟空，成了唐僧的"心腹大患"。

早期，唐僧使用的是激将法。

在跳出五行山后，唐僧亲眼看到孙悟空打死猛虎，亲眼见到他手中有一根大小如意的金箍棒，有飞天遁地之能。可是，每当发生意外，唐僧总是对孙悟空的能力表示怀疑。

鹰愁涧上，孙悟空告诉唐僧，是涧底的孽龙吃了马匹。唐僧不信。孙悟空说："我这双眼，白日里常看一千里路的吉凶。像那千里之内，蜻蜓儿展翅，我也看见，何期那匹大马，我就不见！"可是，唐僧依然不信。孙悟空无奈，只能去搅乱鹰愁涧，逼出小白龙。两人一番大战，小白龙打不过，潜入水中。孙悟空回禀唐僧。唐僧却说："你前日打虎时，曾说有降龙伏虎的手段，今日如何便不能降他？"孙悟空一听，又羞又恼，立刻转身再战小白龙。

只是，激将法只能用得了一时，不能用得一世。孙悟空绝顶聪明，可不会那么容易被人摆布。

就在孙悟空打死六贼，不满唐僧，愤然离去之后，观音到来，送来了一套衣服，里面暗藏金箍。

金箍与《紧箍咒》是一套驾驭下属的奇宝。

当孙悟空套上金箍之后，只要唐僧念动《紧箍咒》，孙悟空就头痛欲裂，生不如死。借助《紧箍咒》，唐僧可以轻易操纵孙悟空。这就犹如《笑傲江湖》中东方不败、任我行利用"三尸脑神丸"控制属下是一样的。

这种使用强制力控制他人的方式，当然不能得人心，很容易激发被控制者的逆反心理。当孙悟空初次被套上时，他也想过一棒子打死唐僧。

初闻《紧箍咒》是观音传授，孙悟空气得半死，就要飞去南海打观音。唐僧说："此法既是他授与我，他必然先晓得了。你若寻他，他念起来，你却不是死了？"孙悟空一听，吓得腿软，也不敢再提了。

猪八戒和沙和尚都是孙悟空的手下败将，唐僧用金箍收服了孙悟空，自然猪八戒和沙和尚就不敢作祟了。

其四，借力打力。

《紧箍咒》不能常念。

《紧箍咒》的杀伤力很大，每次念出，孙悟空都生不如死。正因为杀伤力太大，每次唐僧念过《紧箍咒》，必然增加孙悟空的仇恨。

在明确取经非唐僧不可，修成正果更不能没有唐僧之后，孙悟空自然不敢打死唐僧。但是，出工不出力总可以吧！

像猪八戒和沙和尚，取经路上就一直隐匿实力。做日常工作，猪八戒、沙和尚还可以，可一旦遭遇危险，两人跑得比兔子还快。越到取经后期，降妖伏魔就越是成了孙悟空一个人的表演秀。

于是，以德服人，宽容待人，就成了唐僧与孙悟空相处的常见方式。

很多时候，孙悟空经常嘲笑、讽刺唐僧，借此抬高自己的身价。唐僧对此大都默默承受。因为孙悟空不但神通广大，并且博学多闻——大家没有看错，孙悟空的确博学多闻。唐僧名义上是三人的师父，但他毕竟从出生就当了和尚，除了会念几卷经书，对各种奇谈杂闻大都不知。孙悟空却是个杂家，什么都懂一些。估计这也和菩提祖师的教育有关。

每当唐僧受辱，有一个人特别不服气，经常为唐僧出头，打抱不平。这个人就是猪八戒。

猪八戒经常被孙悟空嘲笑为“呆子”。猪八戒很是不满。可是，他是第二个弟子，且又打不过孙悟空，于是力挺师父，以尊师重道来打压孙悟空，就成了他的立身之道。

同理，大力扶持猪八戒，时刻打压孙悟空，也是唐僧日常生活中的最常见表现。

孙悟空一旦有降妖不力的时节，必然会遭到唐僧的冷嘲热讽、严厉批评。可若是猪八戒犯错，唐僧总是轻轻带过。

唐僧为何那么疼八戒呢？因为有八戒在，唐僧才可以压制孙悟空。

至于沙和尚，他总是沉默。并非他嗓子不好，说话难听，而是因他只是三徒弟。在两个师兄争吵时，他的最佳态度就是事不关己，高高挂起，免得沾惹是非。并且，这种沉默还有好处。一旦两个师兄争吵到不可开交，他们都要寻求第三方——老沙的支持。于是，沉默的老沙也成了取经队伍中不可或缺的力量。

第十六节　无双遁术

在流沙河畔，猪八戒第一次见识到了孙悟空的筋斗云。筋斗云神奇的速度让猪八戒大吃一惊，几乎不敢相信。

那么，让孙悟空引以为傲的筋斗云，其速度到底有多快呢？

关于筋斗云，坊间有两种非常神奇的说法。

说法一：按照常理，翻一个筋斗一秒钟，也就意味着孙悟空的筋斗云速度可以达到每秒钟 10.8 万里。第三宇宙速度是 16.7 公里/秒，大于这个速度运动的物体都可以脱离太阳系的引力，飞出太阳系。孙悟空筋斗云的速度远远超过第三宇宙速度。于是，当孙悟空一启动筋斗云，将犹如哈雷彗星一般，从地球上弹射出去，直到甩出太阳系，根本就无法按照剧情要求，去营救饱受磨难的师父唐三藏。

说法二：前提还是孙悟空筋斗云的速度可以达到每秒钟 10.8 万里。我们知道，一个物体在高度运动中将会产生巨大的能量。一般猴子的体重为 4 ~ 12 公斤，孙悟空是猴王，取最大值 12 公斤，那么，在筋斗云全速运行的情况下，孙悟空将拥有 417 万吨的 TNT 能量，远远超过一枚氢弹（我国第一枚氢弹当量 330 万吨）的能量。若孙悟空携带 13500 斤的金箍棒，那么，在筋斗云速度全开的情况下，孙悟空拥有的能量将到达 279727 万吨 TNT，大致上是 848 枚氢弹的能量。

这两种貌似科普的文章，乍一看很有迷惑性。其实，它们在推理中存在极大的破绽——所有的推论，都建立在筋斗云的速度是每秒钟 10.8 万里的基础上的。

可是，我们翻遍西游都找不到孙悟空一秒钟就翻一个筋斗的记载。在前提有误的情况下，之后的结论自然也站不住脚。

那么，筋斗云的飞行速度到底有多快？

有关筋斗云，在《西游记》原著中有不少的描述。

孙悟空在修习天仙诀后，从中领悟了腾云之术。有一天，菩提祖师带着诸位弟子出外，祖师让孙悟空展示一下近日修习的成果。孙悟空就“将身一耸，打了个连扯跟头，跳离地有五六丈，踏云霞去勾有顿饭功夫，返复不上三里远近，落在面前”。一顿饭大概二十分钟，孙悟空这腾云速度也就每小时十里左右，和走路差不多。也因如此，菩提祖师哈哈大笑说：“这个算不得腾云，只算得爬云而已。”

菩提祖师告诉孙悟空，真正的仙人腾云，其速度可以“朝游北海暮苍梧”“四海之内，一日都游遍”。四海之间的距离到底有多大，在书中并没有直接描述。吴承恩笔下的西游世界，绝不能简单等同于现实的地球。

之后，菩提祖师传授孙悟空筋斗云。当时，他老人家说：“一筋斗就有十万八千里路哩!”

大家细看原文，菩提祖师说的是“一筋斗”十万八千里。这一个筋斗到底要翻多久呢?

是一秒钟一个筋斗吗？根本就不是。

孙悟空的腾云之术，之所以叫作筋斗云，只是因为孙悟空的起身腾空之式与众不同。一般的神仙是跌足而起。所谓“跌足”，就是跺脚。一跺脚，借助弹跳之力，仙人就能腾空飞行。可孙悟空是个猴子，他是连续转动方才飞起空中。菩提祖师（太上老君）乃三界第一仙，他是依据孙悟空的体式，当场创造了一门独属于孙悟空的腾云之术，“捻着诀，念动真言，攒紧了拳，对身一抖，跳将起来”。这一抖，其实就是翻个跟斗。

翻跟斗的目的，是为了飞上云朵。飞上云朵之后，才开始高速飞行。

筋斗云的飞行速度到底有多快？我简单列举几处原文。

第一处，孙悟空在学成本领，回归花果山时，从西牛贺洲横跨南赡部洲，再越东洋大海，“那里消一个时辰，早看见花果山水帘洞”。

第二处，在两界山，孙悟空拜唐僧为师后，因为打杀六个强盗，与唐僧争吵，一怒之下飞到东海龙王处喝茶，待再飞回唐僧处，前后仅仅一个多时辰。

只是，以上两处仅仅是提到飞行时间，没有提到两处的距离。因而，筋斗云具体的速度还是很难确定。

且看第三处，在到达五庄观前，沙僧问起到灵山还有多少路程。行者道：“十万八千里，十停中还不曾走了一停哩。”八戒道：“哥啊，要走几年才得到?”行者道：“这些路，若论二位贤弟，便十来日也可到；若论我走，一日也好走五十遭，还见日色；若论师父走，莫想，莫想!”

我们暂且按照孙悟空的设定来推算。

孙悟空提出，剩下的十万里路程，自己一日可以走五十次。古人口中的“一日”，多指白天。孙悟空说，自己一日走五十次，还可以望见日色，即天还未全黑。至于猪八戒和沙和尚，则要走十来个白天。

孙悟空说一个白天可以走五十次，以白天十二个小时计算，也就是说，一次只要十四五分钟，就可以轻松飞行约十万里路程。

这样算下来，孙悟空的飞行速度，是每小时二十万公里左右，每秒约五十五公里。

至于猪八戒和沙和尚，速度是孙悟空的五百分之一，即每小时只有四百公里左右，比我们现在的高铁还是要快一些。

孙悟空的这个说法，有多少可信度呢?

孙悟空这个人喜欢卖弄，说话经常有水分。比如说，从长安城到五庄观的距离，就绝对不止一万零八百里。

唐僧从长安出发，走了半年，来到观音禅院。老院主说，长安距离他们那里有万里之遥。之后，唐僧收八戒，收沙僧，遭遇四圣试禅心，过了足足两年，才来到五庄观前。

在一年之后，唐僧师徒来到平顶山下。唐僧说，当时的路程是三停走了停半。即十万八千里路，已经走了五万四千里了。

其实，孙悟空为了炫耀自己厉害，故意夸大了到灵山的距离。而唐僧为了安抚徒弟，尽心取经，也故意缩小了到灵山的距离。

在两年半之后，唐僧师徒来到通天河陈家庄，当地的陈老汉说："东土大唐到我这里，有五万四千里路，你这等单身，如何来得?"这陈老汉的表述应当客观可信。

于是，我们可以推知，五庄观距离长安的距离，应当在两万五千里左右。

除了到灵山的距离被刻意夸大外，猪八戒和沙和尚的飞行速度也被孙悟空大大贬低。

当初，菩提祖师可是说，神仙可以一天之内遨游四海。就算菩提祖师口中的神仙，乃是天尊以上的高级仙人，可若猪八戒、沙和尚的飞行速度真的只是孙悟空的五百分之一，那要多久才能游遍四海呢？

猪八戒的飞行速度，我们后文再述。先来看沙和尚的速度比孙悟空如何呢？

原文中有这样几处数据，我们稍稍对比，就可以知道。

其一，真假美猴王事件中，孙悟空与唐僧闹翻后，“好大圣，拨回筋斗，那消一个时辰，早至南洋大海，住下祥光，直至落伽山上”。

在流沙河时，孙悟空飞去南海，花了不到半个时辰。到真假美猴王事件时，取经团队已经走了八年，路程也走了大半。此时，孙悟空花了不到一个时辰，飞过半个西牛贺洲，横穿整个南赡部洲，到达南海。

其二，因假孙悟空抢了行李，沙和尚奉命去花果山，原文说“行经三昼夜，方到了东洋大海，忽闻波浪之声，低头观看”，看到了海中的花果山。之后，沙和尚和假孙悟空闹翻，“驾云离了东海，行经一昼夜，到了南海”。在落伽山，沙和尚得知真悟空一直都在观音身边。之后，“沙僧自花果山辞他两个，又行了三昼夜，回至本庄，把前事对唐僧说了一遍”。

我们对比孙悟空和沙和尚的以上飞行经历，其中有一段路程，即从抢唐僧行李之处，到达南海落伽山，是完全一致的。孙悟空走完这段路程，花费了不到一个时辰，而沙和尚则花费了三天三夜。

也就是说，孙悟空的飞行速度与沙僧相比，是他的三四十倍，而非五百倍。

总而言之，孙悟空的筋斗云号称“一个筋斗十万八千里”，其飞行速度确实很快。但是，在做完起身动作，进入飞行状态飞行后，孙悟空必须等到大约十五分钟后，才能再翻第二个跟斗。其飞行速度是普通仙人的三四十倍。

这才是筋斗云的真相。

第十七节　行李中有啥

沙僧加入取经团队后，负责挑担的猪八戒提出，挑担太累，应该换人。行李担子里究竟有啥，竟然让力大无穷的天蓬元帅都觉得累？

讲这个问题之前，我们先来说一下取经团队的内部分工。

在“四圣试禅心”之前的路上，取经团队的内部就进行了分工。这次分工，直接导致之后师兄弟三人工作态度的不同。

具体是如何分工的呢？

那一天，师徒四人走了许久。猪八戒抱怨行李担子太重了，希望能够让白马分担一些。在这时，孙悟空说：“老孙只管师父好歹，你与沙僧，专管行李马匹。但若怠慢了些儿，孤拐上先是一顿粗棍！”

在这一次兄弟谈判之后，大家明确了彼此分工。孙悟空负责降妖除魔，保护唐僧。猪八戒负责挑担，沙僧负责牵马喂马。

正因为如此，在平顶山上孙悟空要求猪八戒巡山的时候，猪八戒跑去睡懒觉了。因为巡山一直都是孙悟空应该做的事情，被孙悟空强迫来做这种吃力不讨好的事情，猪八戒心中很恼火。猪八戒于是选择了趴在草堆中睡觉，打发时间。

1986 年央视版电视剧《西游记》中，猪八戒是负责牵马，沙僧是负责挑担的。其实，原著中挑担的是猪八戒。

为何是猪八戒呢？唐僧在“四圣试禅心”故事中曾说：“那呆子虽是心性愚顽，却只是一味懞直，倒也有些膂力，挑得行李，还看当日菩萨之念，救他随我们去罢。”猪八戒天生神力，取经团队的行李又比较重，让他来挑担，刚好合适。

取经团队的行李中有哪些东西呢？在原文中，八戒曾经介绍说：“四片黄藤篾，长短八条绳。又要防阴雨，毡包三四层。匾担还愁滑，两头钉上钉。铜镶铁打九环杖，篾丝藤缠大斗篷。”

唐僧师徒走的是远路，除了一些生活必需品，其他东西都是能省则省。

什么是黄藤篾？古人出门在外，经常露宿郊外。夜深露重，很容易感冒着凉。于是，远行游人常常会准备一个黄篾编制的竹席，睡觉时铺在地上，不至于潮气侵骨。古代的黄藤篾席子很厚重，少说也有三四十斤，唐僧师徒四个人就需要四张席子，再加上需要麻绳捆绑，毡布包裹，估计这一项，大约有两百斤。

远行游人除了要防潮，还要防雨。于是，篾丝老藤制作的大斗篷就是必需品。诗中没有说斗篷的数量，估计只有一个。大雨来时，凡人身躯的唐僧有斗篷可披，孙悟空、猪八戒、沙僧就只好淋成落汤鸡了。

原著中，猪八戒的九齿钉钯、沙和尚的降妖宝杖都是如意神兵，可以随心变化，大小如意。可是，唐僧的九环锡杖不成。估计这是因为唐僧没有法力，变化不了它。于是，此杖只好让猪八戒抬着。九环锡杖乃是锡铁合金打造，考虑到唐僧都可以拿得动它，估计也就三五十斤，不会很重。

挑行李的扁担应该是特制的。为了承重，还特意在两头钉上了铜钉，以便加固、防滑。

这几样加起来，行礼担子应该有两百五十斤了。

除了以上这些，行李中还有啥呢？

其一，唐僧、孙悟空、猪八戒、沙和尚的换洗衣服。

就算是每人冬夏各两套，师徒四人那也是十六套衣服。

唐僧是有多套衣服的。平常行路是一套，晚上睡觉是一套，遇上庙宇宝塔时要穿上锦襕袈裟，也算一套。孙悟空最早的衣服是根据唐僧的衣服改小的。猪八戒离开高老庄时，向高太公讨要了一套新衣服。沙和尚在受戒改名时，不但换了发型，也穿上了和尚的衣服。三兄弟虽然都是神仙，但也都要换洗衣服。

其二，紫金钵盂一个。

其三，通关文牒。

通关文牒是当初唐太宗发给唐僧的官方通行证。这通行证既可以证明唐僧具有大唐御弟这荣耀的身份，也可以迫使唐僧履行职责——唯有盖上沿途国家的官方印信，才能证明确实到过西天取经。

开始时，通关文牒上只有唐僧的名字，在女儿国时，女王添加了孙悟空、猪八戒、沙和尚的名字。在取经成功后，唐僧将通关文牒交还给了唐太宗。

行李当中除了以上这三样，还有啥呢？

猪八戒除了挑担，还有一项重要工作——做饭。

在五庄观故事中，猪八戒一个人在后院厨房洗米做饭。他用的锅灶油盐都是五庄观的，可是，米面是自己的。可见，行李担子中应当还存放了少量的干粮和米面。

由此看来，猪八戒的行李担子还真不轻，得有三百斤左右吧。猪八戒是天神下凡不假，可是，长途跋涉也一样会饿、会累。

第十八节　四圣测试

渡过流沙河后，唐僧师徒来到了西牛贺洲，引发了“四圣试禅心”故事。观音请来黎山老母、文殊菩萨、普贤菩萨下界，化身四位美女，以招婿为名，对唐僧师徒四人进行一次考核。

这场考核，看起来花团锦簇，软玉温香，充满了调笑与戏谑，其实步步都是陷阱，处处都是危机。

首先，此次考核的真正对象，并不是唐僧师徒，而是观音。

没错，本次行动的真实目的，是如来对观音进行的一次考核。

前文我们说过，如来与观音的关系，就如同玉皇大帝和如来的关系，既要倚重，又要打压。把取经行动这个重大项目交给观音，如来是有点不放心的。可是，取经人来自南赡部洲，南赡部洲乃是观音的地盘——如来是西方佛老，管辖西牛贺洲及附近海域；观音是南海观音，管辖南赡部洲及附近海域——没有观音的支持，取经行动不可能顺利开展。

如何保证取经行动一直按照既定的方案发展呢？如来必须进行一次考核。

文殊菩萨和普贤菩萨，乃是如来的左膀右臂。他们和观音不同，虽然同为佛派四大菩萨之一，但是他们二人在仙界的地位远不如观音，自然会站在更为强大的如来麾下。

一般来说，观音请什么仙佛下凡，就意味着这位仙佛与观音的关系亲密。可如今这次行动不一样，文殊、普贤是奉命前来。

在三位菩萨的商量下，大家请了一位不属于佛派的大人物——黎山老母。由她进行一场相对公正的考核。

黎山老母据说是伏羲与女娲的姐妹，也有人说，黎山老母就是女娲。可是，在《西游记》中，女娲乃是太上老君所化，炼石补天的就是太上老君。而对于黎山老母的身份，原著中没有任何提示。

不过，从黎山老母化身母亲，观音、文殊、普贤化身女儿，且一直由黎山老母出面考察唐僧师徒，三位菩萨仅仅是出场一次就退居幕后来看，黎山老母的身份远在三位菩萨之上。

黎山老母极有可能是一位级别等同四帝的太乙散仙。

于是，在无数场合都充当最终老大的观音，在此处只是露了一次脸，充当了一个微不足道的跑龙套角色。

其次，考核的结果很糟糕，唐僧差点暴露。

观音临别时，留下一张成绩单，上面写着："黎山老母不思凡，南海菩萨请下山。普贤文殊皆是客，化成美女在林间。圣僧有德还无俗，八戒无禅更有凡。从此静心须改过，若生怠慢路途难！"

从成绩单看，取经团队貌似不错，虽然有猪八戒不合格，可是主流是好的，尤其是领队唐僧，既没有俗心，更有美德，取经意志坚定，值得嘉奖。

事情真的是这样吗？当然不是。若非有猪八戒主动冲在最前面，充当了探路石，唐僧差一点儿就掉落陷阱了。

《西游记》中的唐僧，不是历史上那个取经的玄奘。小说中的唐僧，其实是个闷骚型的男人。

黎山老母变化的中年美妇提出，她有三个女儿，都是青春年少，貌美如花，且家有良田千顷，生活无忧，愿意坐山招夫，成为家长。

听到这番话，唐僧若是信仰坚定，本该一口拒绝。但唐僧怎么做的呢？"三藏闻言，推聋妆哑，瞑目宁心，寂然不答。"装聋作哑，只为继续观察；寂然不答，其实心意已动。

后来，中年美妇说，愿意把自己四人同时嫁给唐僧师徒。也就是说，唐僧被分配到的是已经四十五六岁的母亲，而三个徒弟，分到的是三位妙龄少女。原文说："三藏坐在上面，好便似雷惊的孩子，雨淋的虾蟆，只是呆呆挣挣，翻白眼儿打仰。"

唐僧的心情，我们应该理解。他可还是三十岁出头的"小鲜肉"，怎么甘心娶年近五十岁的妇人呢？于是，失落、羞愧、愤怒的心情在唐僧心中混杂，可又不敢发泄，于是只能翻白眼。

猪八戒一听大喜，拉着问唐僧，人家这么好的提议，师父怎么不回答。唐僧暴怒，原文说："你这个孽畜！我们是个出家人，岂以富贵动心，美色留意，成得个什么道理！"把猪八戒一下子骂傻了。

之后，中年美妇说娶妻还俗如何如何好，但唐僧不为所动，还说："功完行满朝金阙，见性明心返故乡。胜似在家贪血食，老来坠落臭皮囊。"唐僧强调了两点：一个是取经完成后，自己将有大功果，前程远大着呢；另一个是在家虽然悠闲，但是老来只剩下一副臭皮囊。

唐僧的话可不是说自己，而是嘲讽中年美妇。你一个妇人，怎么敢贪图我这个"小鲜肉"，也不照照镜子。中年美妇听出了言外之意，也暴怒说："这泼和尚无礼！我若不看你东土远来，就该叱出。我倒是个真心实意，要把家缘招赘汝等，你倒反将言语伤我。"

之后，中年美妇还说了许多，可是唐僧再没有动心。

最后，考核变成了闹剧，为了大局，最终不了了之。

事实证明，取经团队的领队唐僧，其实经不起诱惑。他之所以扛住了诱惑，是因为诱惑条件不够。而猪八戒，也是一个有底线的人。他并非对所有女人都感兴趣，而只是对美女感兴趣。他之所以上当，是因为诱惑的条件对他来说足够了。

至于孙悟空，他早在进入庄园前，就已经用火眼金睛看破了庄园乃是仙佛幻化。他处于作弊模式，自然引诱对他无效。

还有，孙悟空本就是天生石猴所化。他的性别，严格来说，非男亦非女。因此，女性的诱惑对他无效。

沙和尚呢？他是取经团队最有心机的人。他长年在玉皇大帝身边工作，早就养成了轻易不开口、开口也谨慎的习惯。少说也少做，是他保守秘密、保全自己的最佳方法。即便实在不能不说，也必须把真心话仔细掩藏。因此，沙僧也经受住了考验。

结果，只有猪八戒一个人上当，还跑入房中去撞天婚，被菩萨们好好戏弄了一把。到后来，菩萨们估计也觉得无聊了，就给了几件马甲给猪八戒穿，然后将其捆绑起来，简直就是强行退出了游戏。

观音留下的纸条，应当是考核组商定之后的结果，文殊、普贤也必然按照这个结果回禀如来。虽然取经团队有这样那样的不足，但勉强还过得去。毕竟人才难得，观音的面子也不能不给，就继续观察观察吧！

第十九节　吹牛大王

吹牛，是人的天性。没有阔过的渴望阔，曾经阔过的怀念阔，正在阔着的希望更阔。人是如此，仙也是如此。

在西游世界，不少仙妖都爱吹牛。

多数仙人妖怪在出场的时候，都要介绍一下自己。这个介绍的诗句，基本都是在吹牛。《西游记》中吹牛次数最多的，当然是孙悟空。孙悟空几乎每逢遇上妖怪，都要把当年大闹天宫的事情拿出来提一下。虽然孙悟空在取经路上降妖除怪立下不少功劳，可在他心中，一生最辉煌的时代，依然还是玉皇大帝敕封其为齐天大圣的日子。

可惜，孙悟空的牛皮总是被许多妖怪仙佛无情地戳破。

孙悟空在叙述大闹天宫时，动辄喜欢说大败十万天兵，横扫天庭神将，甚至说什么太上老君都害怕他，玉皇大帝也畏惧他。最终总结就是：俺老孙就是当年大闹天宫的齐天大圣孙悟空。

可是，大半妖怪仙佛听到此话，都哈哈大笑说："原来你就是当年那个闹天宫的弼马温啊！"

孙悟空的心情瞬间从巅峰落到谷底，于是暴走……

其实，孙悟空当年仅仅是和几个天庭中层神将交手而已，他的本领当在九曜之上，堪比八极。

孙悟空真正的厉害之处，是托师父（菩提祖师，即太上老君）的福，传授他独门飞行术筋斗云，打不赢就可以跑，反正三界几乎没有仙人可以追上他；又让他顺利偷到金丹，炼成金刚不坏之身，连天庭第一神兵九齿钉钯也不能伤其分毫。也就是说，孙悟空属于打不死、跑得快的那种。拥有这种本领的孙悟空，最适合捣蛋——大闹天宫（偷吃蟠桃、破坏宴会、偷吃仙丹）不就像是一个孩子在搞恶作剧吗？

不过，孙悟空还不是西游世界最能吹牛的人。头号吹牛大王的桂冠，当属所谓"地仙之祖"镇元大仙。

先看"地仙之祖"的外号是怎么来的。《西游记》中一共有三处。

第一处，孙悟空推倒人参果树后，前往海外三岛找寻治疗仙树的药方，蓬莱仙岛上福、禄、寿三星说：“那镇元子乃地仙之祖，我等乃神仙之宗。你虽得了天仙，还是太乙散数，未入真流，你怎么脱得他手？”

第二处，方丈仙山东华帝君听了悟空叙述说：“那五庄观镇元子，圣号与世同君，乃地仙之祖。你怎么就冲撞出他？”

第三处，南海观音说：“他那人参果树，乃天开地辟的灵根。镇元子乃地仙之祖，我也让他三分，你怎么就打伤他树！”

镇元大仙真的很牛吗？

我们细品五个人对地仙之祖镇元大仙的评价。福、禄、寿三星乃是仙界长辈，对孙悟空并不客气。在他们口中，镇元大仙比孙悟空牛多了。即便孙悟空是天仙，级别比镇元大仙的地仙高一级。但牛掰的地仙之祖，打你一个天仙末流，还不是分分钟的事情？

东华帝君对孙悟空很畏惧，听说孙悟空来了主动迎接，连连说：“大圣，失迎，失迎！请荒居奉茶。”他对镇元大仙也很恭敬，评价两人的矛盾时，叫“你怎么冲撞了他”——言下之意，镇元大仙还是要比孙悟空厉害的。

观音虽然也称镇元大仙为地仙之祖，但是并不畏惧镇元大仙。观音乃五方五老之一，天尊级别高手，神通、法力远在镇元大仙之上。她对镇元大仙不过是“让他三分”。观音的“让”，只是因为镇元大仙比观音年纪大了无数万岁，尊老敬贤而已。

表面看来，能得到海外三岛仙人称呼一声“地仙之祖”也很不错啊，毕竟寿星那可是连玉皇大帝都尊敬的老人家呢！

但我们细品原文，就可以发现，海外三岛的仙人之所以尊敬镇元大仙，另有原因。

原著中孙悟空问沙和尚有没有吃过人参果。沙和尚说："小弟虽不曾吃，但旧时做卷帘大将，扶侍鸾舆赴蟠桃宴，尝见海外诸仙将此果与王母上寿。"这海外诸仙是谁呢？《西游记》中的人界有五方五老，割据一方，还有海外诸仙，即海外三岛蓬莱、方丈、瀛洲上的福、禄、寿三星和东华帝君等仙人。

他们的人参果哪来的？人界唯有一处人参果树，他们的人参果自然是镇元大仙给的。人参果珍贵无比，在五庄观故事中，五庄观四十八位仙人，包括镇元大仙自己，也不过总共分吃了两个。两个人参果怎么分给四十八个人吃？切片，还是榨汁？总之，人参果很珍贵。镇元大仙拿如此珍贵的东西当礼物送给海外诸仙，自然是有所图谋。

孙悟空提到和唐僧只是约定了三天期限，过期就念《紧箍咒》。福、禄、寿三星主动说，自己愿意去说情。其实，他们根本不认识唐僧，去五庄观的目的就是一个，蹭吃人参果。最后，他们果然每人都分到了一个人参果，寿命又延长了四万七千年。

镇元大仙听闻三星到来，主动出门迎接。猪八戒看到福、禄、寿三星对镇元大仙的谄媚样子，很不高兴，就上前拉扯寿星，还把自己的帽子套到寿星头上。寿星骂八戒是夯货（又蠢又笨），八戒说："我不是夯货，你等真是奴才！"

明摆着就是镇元大仙分出人参果，让海外仙人为其制造舆论，抬高自己在仙界的地位。所谓拿人钱财，为人消灾，三星的宣传工作还是很卖力的。

或许有人会说，镇元大仙很牛，五庄观中只是供奉“天地”二字而已，这样的人，还需要制造舆论，抬高地位吗?

西游神仙世界，主流的仙人排行中，有镇元大仙吗？三清、四帝、五老、六司、七元、八极、九曜、十都……没有一个里面有镇元大仙。

西游神仙世界中，最高规格的盛会是蟠桃会，三界之中有头有脸的神仙都会被邀请。孙悟空为何没有被邀请呢？书中其实说得明白，他有官无禄，即空有个编制，不用发工资。玉皇大帝开蟠桃会，官阶高的送蟠桃，官阶低的送仙酒，可不就是给三界仙官们开工资、发奖金吗?

可是，这蟠桃会名单上，没有镇元大仙。

仙人们神通广大，吃穿不愁，最愁的就是会死。前文我们说了，鬼仙、人仙不过三五百年寿命，神仙几千年，地仙几万年，天仙最长，与天地同寿，可还是会死。总之，多数仙人都会死。

有人说，镇元大仙有人参果，不吃蟠桃也行。话是这么说，理不是这个理。得到邀请吃蟠桃、品仙酒，不但可以延寿，更可彰显在仙界的身份。有没有被邀请是一回事，需不需要吃是另一回事。比如太上老君，人家是三界第一仙，还要靠蟠桃延寿？当然不用。可是，每次开蟠桃会，人家都坐首席。

孙悟空对镇元大仙的底牌看得很清楚。孙悟空在天界那也混了一百多年，和三界无数神仙称兄道弟——西游原著中确实如此。虽然有的神仙不买孙悟空的账，但是孙悟空没听过的大牌神仙还真是没有。在他印象中，镇元大仙并没有多牛。

唐僧师徒走到五庄观门前时，见到门前一副对联，上书："长生不老神仙府，与天同寿道人家。"

这些字很大气，可是大气过头了。孙悟空笑道："这道士拿大话唬人。我老孙五百年前大闹天宫时，在那太上老君面前，也不曾见有此。"三界之中，谁最有资格挂这副对联呢？自然是先天地而生的太上老君。连人家道祖大人都谦恭低调，一个地仙口气竟然如此大。

进入五庄观，大殿上供奉着"天地"二字。唐僧询问为何不供奉三清、四帝等仙人。镇元大仙的徒弟清风、明月说："三清是家师的朋友，四帝是家师的故人，九曜是家师的晚辈，元辰是家师的下宾。"

喜欢镇元大仙的人，总喜欢拿这句话说事。其实，大家不要被清风、明月骗了。他们作为镇元大仙的徒弟，在外人面前，当然要往自己师父脸上贴金。

事实是什么呢？在书中镇元大仙亲口说："不可违了大天尊的简帖，要往弥罗宫听讲，你两个在家仔细。"

镇元大仙称呼元始天尊为"大天尊"，又说"不可违了法旨"，明摆着镇元大仙的身份地位是远不如元始天尊的。人家元始天尊是命令镇元大仙前去天宫的。

当初如来面对玉皇大帝时，也是说奉大天尊法旨前来。只有三清、四帝以上级别的人，才能够称为大天尊。

由此可知，清风、明月说镇元大仙和三清、四帝都是朋友，明摆着是吹牛。至于太白金星等九曜、十二元辰，可能在寿命上不如镇元大仙，但是在仙界的地位上，他们比镇元大仙只会高，而不会低。

第二十节　尴尬处境

以镇元大仙地仙之祖的身份，他对唐僧的态度非常可疑。

镇元大仙说："不日有一个故人从此经过，却莫怠慢了他，可将我人参果打两个与他吃，权表旧日之情。"

书中诸如沙僧、寿星、土地神都有强调，人参果非常珍贵，九千年才生三十个，吃一个可以延寿四万七千年（作者很喜欢用这个数字）。基本上，人吃一个人参果，就拥有了地仙的寿命。土地神看守五庄观无数年，可连闻一闻的资格都没有。寿星和镇元大仙关系亲密，但那也是在一万年前，他因为帮镇元大仙送礼给王母，才顺带吃了一个。

如此珍贵的人参果，镇元大仙却一下子送给唐僧两个。是因为唐僧对他有天高地厚之恩吗？根本不是。

原文说："那和尚乃金蝉子转生，西方圣老如来佛第二个徒弟。五百年前，我与他在盂兰盆会上相识，他曾亲手传茶，佛子敬我，故此是为故人也。"

要说两人有故，确实能扯到一点老关系。盂兰盆会乃是如来宴请三界仙人的大会，镇元大仙远来是客，金蝉子作为如来的弟子，端茶待客很正常。

何况，以镇元大仙的身份，当和如来、观音平辈论交，金蝉子乃是晚辈。一个晚辈给长辈端茶递水，有什么需要感谢的呢？

真相只可能是一个，就是镇元大仙要硬塞给唐僧人参果，然后惹出一系列风波，直到最终孙悟空把树推倒。

五庄观中发生的一切，都在镇元大仙的预料之中。这一切都是镇元大仙布置的一个局。

在《西游记》中，能未卜先知的仙人极少，但精通谋略、了解人性的高人很多，镇元大仙就是其中之一。

镇元大仙出门前，告诉清风、明月："不日有一个故人从此经过，却莫怠慢了他。"由此，有人认为，在好多天前，镇元大仙就已经知道唐僧师徒必定经过五庄观，这不是未卜先知是什么？

其实，西游世界绝大多数仙佛都不会未卜先知，唯一的可能，是唐僧的护法神中的某位仙人，比如值日功曹提前把唐僧的行踪告诉了镇元大仙。（为何是值日功曹而不是其他仙人呢？因为这个值日功曹在后文明明白白地跳了出来，和金角、银角大王——即和太上老君，关系密切。）

镇元大仙说："我那果子有数，只许与他两个，不得多费。"

若镇元大仙真的不想多费、舍不得人参果，那应该送唐僧一个人参果即可。为何一个普通的主客关系，就要送出两个人参果呢？大家看看后文，观音菩萨来了，那也是和大家一样，吃一个人参果。

镇元大仙这么做的理由只有一个，送两个人参果的话，无论唐僧吃还是不吃，都容易惹出祸事。

镇元大仙应当是从值日功曹那里了解到唐僧师徒的秉性，由此作出了一系列的推断。

唐僧为人迂腐，小心谨慎，极有可能不吃人参果。若唐僧不吃，自然人参果就会被清风、明月分吃。若仅一个人参果，怎么分呢？书中交代，闻一闻人参果都能活三百六十岁，可见其灵气会随着气味散失。一旦其被切开，势必效力大减。关键一点是，若仅有一个人参果的话，在分配时就会出现不公——拦腰切还是对半分？无论怎么切，总有一个谁多谁少的问题。可若是有两个人参果，就不会有争议了。清风、明月可以一人吃一个。

何况，书中交代，清风、明月的住处就在厨房隔壁。取经一路走来，唐僧师徒都是自己做饭自己吃。这次进入五庄观，师徒四人也是借用观中的炉灶，由猪八戒负责烧火做饭。

清风、明月能享用人参果这等好东西，自然激动无比。他们一边吃，一边说个不停，惊动了隔壁的猪八戒。猪八戒一招呼，就把遛马的孙悟空喊来了。于是，一场风波掀起。

若唐僧吃人参果呢？如果只有一个人参果，那就简单了，唐师父独一份。可现在是两个，怎么分？师父一个，徒弟三人分一个？那肯定还要打架。

因此，镇元大仙选择送两个人参果，那是摸透了人心、人性，料定一旦两个人参果送出，必定有大事发生。

镇元大仙留下的两个小徒弟也有问题。

有什么问题呢?

镇元大仙门下还有四十八个徒弟，书中说，那都是得道的全真。清风、明月二人虽都已活了一千两三百年，可之后的事实证明，他们除了骂功一流外，一无是处。

论打架，清风、明月仅是小妖级别，一只瞌睡虫就能轻松将其迷倒。

论智慧，清风、明月基本属于无用型，一遇到事情就炸了，根本沉不住气。自己打不过对方，还一个劲地侮辱对方，这不是找抽是什么?

镇元大仙好歹也是地仙之祖，手下大弟子至少也应该有中等妖王的实力，能和孙悟空打上三十个回合不分胜败才对。若留下那么三五个弟子，孙悟空也就无法推倒人参果树了。

镇元大仙本人老谋深算，为何派出清风、明月这两个实力如此弱的弟子看家呢?这就等于全面放弃了人参果树的安保，随便孙悟空怎么折腾啊!

而镇元大仙回来的时间，以及听完禀告后的反应，依然有问题。

镇元大仙什么时候回来的?恰恰是在唐僧师徒半夜离开，没有走远的时候。唐僧师徒若再走远一点点，那可就到白虎岭了。走过白虎岭，到了碗子山，就是玉皇大帝安排的奎木狼下凡的地界了。

看到自家庄院大门敞开，负责看守的清风、明月呼呼大睡，正常人应该会立刻意识到家里出了问题，着急上火地去观察观中宝贝才对。可镇元大仙哈哈大笑说：“好仙童啊!成仙的人，神满再不思睡，却怎么这般困倦？莫不是有人做弄了他也？快取水来。”

清风、明月醒后，知道闯下大祸，一边磕头求饶，一边禀告详情。镇元大仙再次笑道：“莫惊恐，慢慢的说来。”等清风、明月说出人参果树都被推倒，众位弟子群情激奋时，镇元大仙呢？“大仙闻言，更不恼怒。”人家根本不着急。

原因只有一个，镇元大仙远离五庄观的真正目的，就是要让孙悟空大闹五庄观，推倒人参果树。送两个人参果也好，留下清风、明月看守五庄观也好，那都是为了制造矛盾，引发孙悟空大闹五庄观。

正因为一切都在预料中，镇元大仙才会两度哈哈大笑。正因为清风、明月成功完成了任务，镇元大仙才会丝毫不计较。

那么，镇元大仙为何要放纵孙悟空推倒自家人参果树呢？

第二十一节　大闹五庄观

孙悟空推倒人参果树后，到海外仙岛苦苦寻找药方，寿星等人都说毫无办法。孙悟空只好去找南海观音。

观音菩萨却说：“你怎么不早来见我，却往岛上去寻找？”孙悟空一听就明白了，观音菩萨有复活仙树的法子。

观音菩萨为何敢断言自己可以救活人参果树呢？

秘密就在原文的下段话中：

“观音道：‘我这净瓶底的甘露水，善治得仙树灵苗。’行者道：‘可曾经验过么？’菩萨道：‘经验过的。’行者问：‘有何经验？’菩萨道：‘当年太上老君曾与我赌胜，他把我的杨柳枝拔了去，放在炼丹炉里，炙得焦干，送来还我。是我拿了插在瓶中，一昼夜，复得青枝绿叶，与旧相同。’行者笑道：‘真造化了，真造化了！烘焦了的尚能医活，况此推倒的，有何难哉！’”

以上观音的几句话中潜藏了什么秘密呢？

它们告诉我们，镇元大仙和观音菩萨其实是早有联系的。正因为两人早有联系，观音菩萨才会吩咐唐僧的护法神把唐僧师徒的消息通告了镇元大仙。如此，镇元大仙才能在合适的时间离开、合适的时间回来，才能对唐僧师徒的行为进行预判，并予以掌控。

观音菩萨的玉净瓶非常神奇，不但能够装下一海之水，还能够凝练具有超强治疗能力的甘露水。再加上杨柳枝所具有的强大生机，即便是在杨柳枝被烧焦之后，都可以迅速复活。正因如此，镇元大仙才敢放手让孙悟空大闹五庄观。否则，这人参果树乃是镇元大仙的命根子，若是树都被弄死了，他怎么可能还笑得出来？

总之，孙悟空大闹五庄观，是镇元大仙联手观音菩萨布置的一个局。

观音菩萨为何要布置这个局呢？

促成唐僧经历八十一难，是观音菩萨的本职工作，但我们要明确，观音菩萨的本意可不是为了刁难唐僧，而是要借助唐僧经历劫难，一步步扩大佛派的影响力。

观音菩萨也希望借救活人参果树的机会，和地仙之祖镇元大仙加强联系，这是观音菩萨与镇元大仙联手的最重要原因。

镇元大仙为何要答应加入观音菩萨的局呢?

其实，镇元大仙在三界的地位很尴尬，尤其是在玉皇大帝主导的天庭很尴尬。

因为拥有人参果，镇元大仙成了三界的异类。镇元大仙希望加入天庭，加入仙界的主流势力。只是，玉皇大帝拒绝了他。

书中借沙和尚之口说出，镇元大仙曾经委托寿星，向王母娘娘献上人参果——清风曾说，开园吃了两个人参果，现在树上还有二十八个。从此可知，献人参果给王母，不是这最近九千年的事情。

按照道理，镇元大仙拥有人参果，可以不求玉皇大帝，可以逍遥三界。可现实情况是，没有大靠山的话，以镇元大仙一个地仙的实力，根本无法保全人参果树。

镇元大仙虽然也可以短暂施展天尊神通，但觊觎者实在太多。他不得不时常把人参果送给其他有能力的大仙，比如寿星，恳请他们帮忙说情，予以庇护。

三十个人参果中，镇元大仙本人究竟能吃到多少呢?估计他能吃到一半就算不错了。

正因为这个原因，镇元大仙才会在五百年前参加如来举办的盂兰盆会。

正因为这个原因，他才会答应加入观音的取经计划。

也正因为这个原因，他才会主动和闹事的孙悟空结为兄弟。

仙道艰难，就算是镇元大仙，也很难做到真正的逍遥。

在这场行动中，镇元大仙付出的代价极大，一共消耗了十五个人参果（奉送唐僧两个，后被清风、明月吃掉；孙悟空打下了四个，师兄弟三人吃了三个，一个掉入地下，后又回到了树上；福禄寿三星、观音到来后，镇元大仙一口气打下了十个，镇元大仙、福禄寿三星、观音、唐僧师徒四人，每人各吃一个，众位弟子分食一个）。九千年才生三十个人参果，在这一场行动中就用掉了十五个。

镇元大仙收获了什么呢？

和孙悟空结拜为兄弟。

这算是什么收获呢？谁都知道，这种所谓的结拜毫无真情。孙悟空此后遇上了那么多的困难，从来没有找这位义兄帮忙，从此可以看出，孙悟空根本没有当镇元大仙是同甘共苦的兄弟。

镇元大仙加入这个局，不是亏大了吗？

不亏。

镇元大仙在观音这里，仅仅是收获了好感，但在太上老君那里，必定得到了许多实惠。

镇元大仙为何要在听完元始天尊说法后，不直接回家，却绕道去拜访太上老君呢？

因为太上老君有重要的事情交代——

太上老君询问镇元大仙，一切是否按照计划进行。

太上老君告诉镇元大仙，只要事情办好，不要担心回报。人参果只是可以延寿，而太上老君的金丹不但可以提升身体强度，还可以让人直接成仙，甚至可以让仙人起死回生。

可以说，太上老君的金丹，其价值远在人参果之上。

只要太上老君拿出一葫芦金丹，就算镇元大仙耗费掉所有的人参果也是划算的。假如太上老君还露出些微暗示，镇元大仙只要参加计划，他就会出手对其指点一二，那镇元大仙就有希望突破地仙局限，成为天仙，那可就更划算了。

太上老君能够给予镇元大仙的，太多太多。

更何况，太上老君会告诉镇元大仙，很久以前，他就和观音做过试验，观音的甘露水必定能救活人参果。

面对如此诱惑，镇元大仙怎么能够拒绝？

答应了太上老君的要求，就等于加入了太上老君的集团，有了他的庇护，那就有可能突破修仙境界，成为天仙，甚至成为天尊。

那么，太上老君为何要策划这个局？

因为太上老君若要反天就必须削弱玉皇大帝的势力。玉皇大帝拥有强大凝聚力的关键，就是拥有蟠桃。太上老君正式发起行动时，若弄死所有蟠桃树，必定可以重创玉皇大帝一方。

只是，蟠桃树是三界珍贵资源，不能让它从此断绝。在弄死蟠桃树之后，还要保证它们能够复活，如此，太上老君才能在推翻玉皇大帝之后，快速稳定三界局势。

虽然说此前太上老君和观音曾经以煅烧杨柳枝作为试验，可杨柳枝毕竟不是具有延寿效力的仙树。这就犹如研究疫苗，先在小白鼠身上做试验，再在猴子身上做实验一样。只有用同样有超强延寿功效的人参果树做试验，才能最大限度地保证救活蟠桃树的成功率。

事实证明，太上老君的计划很成功。

整个大闹五庄观故事，乍一看，是自然发生的。仔细琢磨，是镇元大仙布置的一个局。再一琢磨，是观音菩萨布置的局。琢磨再三，我们又发现，太上老君才是那高高在上、操控一切的老大。

真可谓局中有局，套中有套！

第二十二节　斗地仙之祖

镇元大仙号称“地仙之祖”，在仙界辈分极高。孙悟空则在五百年前大闹天宫，一人战败九曜星君。一个是成名已久的前辈高人，一个是霸气外漏的仙界新锐。他们二人因为人参果树一事，在五庄观外两度交手。在许多人看来，这两次交手均以孙悟空惨败告终。甚至有不少读者认为镇元大仙可以秒杀（抓）孙悟空。事情的真相究竟如何呢？

先看第一次交手。

原文说：“那行者没高没低的，棍子乱打。大仙把玉麈左遮右挡，奈了他两三回合，使一个袖里乾坤的手段，在云端里把袍袖迎风轻轻的一展，刷地前来，把四僧连马一袖子笼住。”

在这段原文中，有两个词特别值得注意：一个是“乱”，一个是“奈”。

孙悟空在武艺之道上极有天赋。菩提祖师并没有传授孙悟空武艺，一切全靠孙悟空自行领悟，他的武艺纯粹是打出来的。

孙悟空下山第一战，乃和战斗力较弱的混世魔王交手，一度被其杀得手忙脚乱。可在大闹天宫时，面对九曜群星、二十八宿，乃至二郎神，孙悟空都打得有条不紊，极有章法，或者取胜，或者战平，可谓从无败绩。

在取经路上，孙悟空的武艺更是越来越精熟。虽然一路上有无数强大妖魔，各有天赋神通、奇门法宝，但若只论武艺，孙悟空称第二，没有人敢称第一。在武艺上和孙悟空战平，已经是西游世界中妖魔在武艺上的最强表现。

此刻，久经沙场、心思缜密的孙悟空为何会乱打？而且是“没高没低”的乱打——这不就是说，明明镇元大仙的破绽在上半身，孙悟空却朝人家下半身挥棒。莫非孙悟空的脑袋坏掉了？

我认为，有以下两个原因。

其一，镇元大仙以语言激怒孙悟空。

镇元大仙从五庄观赶来，没有直接现出真身，而是化身老道，假意询问唐僧师徒是否到过五庄观。孙悟空拦住唐僧，谎称没有到过，想要蒙混过关。镇元大仙就指着孙悟空笑骂说：“我把你这个泼猴！你瞒谁哩？你倒在我观里，把我人参果树打倒，你连夜走在此间，还不招认，遮饰什么？不要走！趁早去还我树来！”在这样的情况下，“那行者闻言，心中恼怒，掣铁棒不容分说，望大仙劈头就打”。

孙悟空虽然也有些心机，但毕竟不是那种城府极深的老滑头。谎言被当场戳穿时，他顿时就面皮羞红，受不了了，因此在交手时乱了章法，也是有的。

其二，孙悟空猜到了五庄观事件可能是有人布局。

孙悟空在加入取经团队之初，打怪时手下根本不留情。可是，取经一路走来，孙悟空的观念已经发生了巨大变化。

鹰愁涧上，孙悟空棒打孽龙，结果发现孽龙是观音收留的玉龙三太子。孽龙随后加入取经团队，成了白龙马。

黑风山上，孙悟空大战黑熊精。因黑风山距离观音禅院比较近，所以孙悟空猜测黑熊精可能和观音菩萨有关。到南海一问，果然如此。黑熊精最后成了落伽山的守山大神。

孙悟空在高老庄捉妖，后来发现妖怪是观音收编的猪八戒。

流沙河中冲出妖怪来抓唐僧，猪八戒、孙悟空联手大战，最后发现是观音安排的取经人徒弟沙和尚。

从流沙河走出，到了西牛贺洲，遇上美妇招夫，结果发现是观音、文殊等菩萨设局考验师徒四人。

然后，大家来到了五庄观。

在流沙河遇阻时，孙悟空就曾告诉猪八戒说："这取经的勾当，原是观音菩萨；及脱解我等，也是观音菩萨。今日路阻流沙河，不能前进，不得他，怎生处治？等我去请他，还强如和这妖精相斗。"

从孙悟空这番话就可以看出，他已经意识到取经途中所谓的妖魔，大都和佛派、天庭有着千丝万缕的联系，取经路途中的所谓磨难，基本都是观音设局。若是有磨难，不用担心，不用害怕，找观音，一切都解决了。

因此，孙悟空与镇元大仙交手时的乱打，极有可能就是故意让镇元大仙将其抓获，以看看之后的剧情到底会怎样走。

至于"奈"字，是对付的意思。从此可以看出，镇元大仙迎战孙悟空可谓轻松自如，毫不费力。在两三招之后，镇元大仙就找出了空当，施展了强大法术乾坤袖，将唐僧师徒抓获。

再看第二次交手。

原文说：“沙僧掣宝杖，八戒举钉钯，大圣使铁棒，一齐上前，把大仙围住在空中，乱打乱筑……那大仙只把蝇帚儿演架。那里有半个时辰，他将袍袖一展，依然将四僧一马并行李，一袖笼去。”

在这段话中，再一次出现了“乱”字。

师兄弟三人遭遇强敌，为何都是“乱打乱筑”？

只因，猪八戒精明，沙和尚老辣。这两位混迹天庭许多年，虽然加入取经团队的时间不很长，可是也敏锐地发现了所谓取经，所谓降妖除魔，基本上都是演戏。

孙悟空曾经精妙地概括唐僧取经为“那师父步步有难，处处该灾”。

“有难”可以理解，为何是“该灾”？“该灾”，就意味着这磨难一定会到来，无法避免。换言之，这磨难，那都是安排好的。

所谓“八十一难皆是局”，说的就是这个意思。

我们结合第一次交手，也可以看出，无论是孙悟空，还是猪八戒、沙僧，都在隐藏实力。

第一次交手中，孙悟空两三招就露出了破绽，镇元大仙施展乾坤袖将其擒拿。若镇元大仙的战力真的高出孙悟空那么多，那第二次交手时，顶多四五个回合，镇元大仙就应该将孙悟空师兄弟全部拿下。可是，这一场战斗竟然打了将近一个小时。

能一挑三，打将近一个小时是不是很牛呢？

未必。

玉华州的黄狮精（九灵元圣的孙儿）曾经一人迎战孙悟空师兄弟三人许多时间（从午饭后到太阳偏西，至少有两三个小时）。我们总不能因为黄狮精一挑三打了更久，就认为黄狮精的武艺比孙悟空厉害，比镇元大仙也不差吧？事实上，黄狮精等七个狮妖最后都被孙悟空一个人轻松斩杀。

此处第二次交手时，孙悟空、猪八戒、沙和尚因为情势需要，必须迎战，所以大家多多少少展示了些实力，镇元大仙根本不可能在三五招就结束战斗。一直拖到将近一个小时，镇元大仙才抓到空当，施展超强法术乾坤袖。

也就是说，虽然孙悟空两次与镇元大仙作战都以失败告终，但并不能得出镇元大仙的武艺就一定强过孙悟空的结论。

以上分析，说的是孙悟空与镇元大仙武艺上的比拼。

那两人神通上的对比，又是如何呢？

第二十三节　袖里乾坤

在五庄观内外，镇元大仙和孙悟空各展绝学，在不同方面进行了多项比拼。

先说乾坤袖。

原文说：“（镇元大仙）使一个袖里乾坤的手段，在云端里把袍袖迎风轻轻的一展，刷地前来，把四僧连马一袖子笼住。八戒道：‘不好了！我们都装在褡裢里了！’行者道：‘呆子，不是褡裢，我们被他笼在衣袖中哩。’八戒道：‘这个不打紧，等我一顿钉钯，筑他个窟窿，脱将下去，只说他不小心，笼不牢，吊的了罢。’那呆子使钯乱筑，那里筑得动？手捻着虽然是个软的，筑起来就比铁还硬。”

什么叫作袖里乾坤？在传统神话中，是说仙人法术高强，在袖子中能够藏下一个小世界。在《聊斋志异》中，就讲了一个书生与姑娘无法在一起，仙人就大展袍袖，分别将二人装入，之后两人在仙人的袖子中相遇、成婚、生娃娃的故事。在此处，则是说镇元大仙的袖子绝非寻常的袖子，其中暗藏玄机。

藏着什么玄机呢？

我们看镇元大仙是如何擒拿孙悟空等人的。他施展乾坤袖之后，袖子忽然变得超长、超大，竟然把空中的孙悟空和地面的唐僧、八戒、沙僧、白龙马全部笼罩了起来。然后大家被卷离地面，困在袖子当中。

在袖子中，猪八戒以为自己是被装在了“褡裢”中。所谓“褡裢”，是古人出行时背的一种长条状包袱，前后有两个口袋，使用时中间搭在肩头。这种包袱稍大，可以存放钱粮米面。也有一种是系在腰间的，更小一些，主要用来放银钱。褡裢和袖子最大的不同是，袖子是敞口的，而褡裢是两端可以封口的。

猪八戒忽然被困住，搞不清楚情况，于是误认为被装入了褡裢中。孙悟空把一切看得清楚，他解释说，不是褡裢，而是袖子，只是镇元大仙把袖口笼（关闭）了起来。

猪八戒听说只是袖子，觉得那不过是件衣服，而自己有号称三界最锋利的兵器九齿钉钯，戳破衣袖还不是轻而易举？于是，老猪挥舞钉钯狠命乱筑，结果，那衣袖竟然比铁还要硬。

以上描述，有两点特别值得注意：

其一，镇元大仙的袖子可以变长，可笼罩很大的范围；

其二，镇元大仙的袖子可以化柔为刚，扛住九齿钉钯猛击。

在作者的整个描述中，突出的是袖子的变化。这意味着什么？

我认为，这乾坤袖并非镇元大仙施展的一种法术，而是一种衣袖状的神秘法宝。

在小雷音寺故事中，黄眉怪曾以后天人种袋装三界神仙。他那袋子和镇元大仙的乾坤袖竟然惊人相似。

表面看来，后天袋只是黄眉怪腰间一小布袋，但一旦张开，可以容纳数十位神仙、千百件兵器，空间奇大，绝对是袖里乾坤。被困住的各种神仙属性不一，法宝不一，但无论是谁，都无法从口袋中逃出。其坚固和乾坤袖又何其相似？

不同的是，后天袋打开后，有强大的吸引力，会自动将面前敌人连带兵器吸入。被吸入后的仙人，在袋中会骨软筋麻，手脚无力，就连孙悟空也不能例外。

这后天袋活像是乾坤袖的升级版。

既然乾坤袖是法宝，也就意味着镇元大仙本身的法术神通未必比孙悟空高明多少。

从镇元大仙抓到唐僧师徒之后遭遇的种种窘境来看，真相或许就是如此。

镇元大仙遇上了哪些囧事呢？

其一，看不破地煞变。

镇元大仙下令将唐僧师徒绑在柱子上，让一个有力量的徒弟拿着龙皮制作的七星鞭打人。

不少读者只看到了镇元大仙的乾坤袖，却忽略了镇元大仙还有两样厉害兵器。一样是手中拂尘。这柔软的拂尘，在镇元大仙手中竟然大战仙界三大神兵，且稳居上风。除了说明镇元大仙本身神通不凡外，这拂尘也绝非凡品。

另一样就是这龙皮制作的七星鞭。龙，在西游世界是万兽之王。以龙皮制作的七星鞭自然非常厉害。

“行者恐仙家法大，睁圆眼瞅定，看他打那里。原来打腿，行者就把腰扭一扭，叫声‘变！’变作两条熟铁腿。”

孙悟空一看对方拿着七星鞭，根本不敢直接用肉身去扛。他施展地煞变将双腿变成熟铁腿，才敢挨七星鞭。就算是这熟铁腿，在挨了六十鞭之后，“两只腿似明镜一般，通打亮了”。这足可以看出，七星鞭之狠辣。

后来，孙悟空半夜施法，带着师父师弟逃出五庄观。临行时，他让八戒拱倒了四棵柳树，以自身鲜血为引，将四棵树化成四人。天明时，镇元大仙继续打四人（四棵柳树）。打前三人时，孙悟空已经很不舒服，等最后打到孙悟空的化身时，孙悟空全身不停地打寒噤。最终，他实在受不了，只能收回法术，让那四人现出柳树原形。

从此可知，这七星鞭最可怕的地方不是打击对方的血肉，而是攻击对方的神魂。孙悟空第一次挨打，是看准了将要被打的地方，把腿变成了熟铁，因此心神没有受伤。第二次挨打的虽然是柳树，但四棵柳树上，尤其是化成孙悟空的那棵柳树上，都有孙悟空的精血，而这精血牵连着孙悟空的神魂，因此，虽然是柳树被打，孙悟空却觉得难受。

当然，在两次鞭打中，我们也可以看出，孙悟空在变化之术上造诣越来越深。这两次变化，镇元大仙事先都没有发觉。正因为没有看破幻术，两度被孙悟空欺骗，镇元大仙才会勃然大怒、冷笑连连说："孙行者，真是一个好猴王！曾闻他大闹天宫，布地网天罗，拿他不住，果有此理。你走了便也罢，却怎么绑些柳树在此，冒名顶替？决莫饶他，赶去来！"

其二，降不住孙悟空。

镇元大仙抓回四人后，让弟子们取出十多匹布来，把唐僧、八戒、沙僧三个人除了头全部用布包裹起来。包裹好之后，在上面涂上生漆。这布匹一旦上了漆之后就会凝固成一块，非常坚固。这样，唐僧师徒三人被打扮成了木乃伊。

镇元大仙为何要这么做？

他的布当然不是寻常的布，他的漆也应当不是寻常的漆。他是要用这种方式控制住唐僧三人，让孙悟空再也无法救出师父。

然后，镇元大仙用油锅准备把孙悟空炸了。面对镇元大仙如此举动，孙悟空还是小心谨慎的。

原文说："大圣却又留心，恐他仙法难参，油锅里难做手脚，急回头四顾，只见那台下东边是一座日规台，西边是一个石狮子。行者将身一纵，滚到西边，咬破舌尖，把石狮子喷了一口，叫声：‘变！’变作他本身模样，也这般捆作一团。他却出了元神，起在云端里，低头看着道士。”

孙悟空为防镇元大仙的油锅中有机关，把狮子变成自己，让元神离体。镇元大仙没有发现。一直等到石狮子砸坏了油锅，镇元大仙才大怒说：“这个泼猴，着然无礼！教他当面做了手脚！你走了便罢，怎么又捣了我的灶？”

若仅是一次逃脱，还可以说孙悟空是侥幸。事实是，对孙悟空的三次变化，镇元大仙全部都没发现。

可见，在变化之术的比拼上，孙悟空的火眼金睛加上地煞变，明显高出镇元大仙。

在屡次打压孙悟空无效之后，镇元大仙万般无奈，只能找唐僧下手。孙悟空知道唐僧是凡人，不禁折腾，只能现身。

在降不住、压不服孙悟空的情况下，镇元大仙提议让孙悟空去寻访仙方，救活人参果树，只要能如此，就放唐僧师徒离去。

可以说，在这场孙悟空与镇元大仙的斗法当中，镇元大仙得胜在前，孙悟空获胜在后。总的来说，双方各有所长，算是一个平局。

五庄观之后是白虎岭，山上有一个武力很渣、名气却很大的妖怪——白骨精。白骨精是全书第一个提出吃唐僧肉可以得长生的妖怪。白骨精费尽心机，变化三次，不但没有得手，反而死在了孙悟空棒下。

假如白骨精吃到了唐僧肉，她能不能长生不老呢？

第二十四节　唐僧肉之谜

在西游世界，最早传出“吃唐僧肉可得长生”的妖，是白骨精。原文说：“造化，造化！几年家人都讲东土的唐和尚取大乘，他本是金蝉子化身，十世修行的原体。有人吃他一块肉，长寿长生。真个今日到了。”

取经路上，还有红孩儿、金鱼精、蜘蛛精、狮象鹏三魔、南山大王等妖，都提到吃唐僧一块肉就可以延寿长生。

他们每个人在讲述这个消息时，都用到了类似的词，如“几年家人都讲”，或者“一向闻得人讲”。也就是说，大家都是听说，消息从来没有被证实。

那么，问题来了：一个没有被证实的消息，为何在西牛贺洲传得沸沸扬扬？就算是有心人或明或暗推动，但那些抓唐僧的妖怪可都不是傻子啊。他们能够从毫无智慧的鸟兽虫鱼修行到妖王、魔王级别，无不是付出了极大的艰辛，经历了许多的苦难。他们这些妖怪虽然神通有高有低，可智商绝对都是一流。

拥有一流智商的妖王们，凭啥会相信一个没被证实的传言呢？

这必然是因为，这传言本身是合乎情理的。

也就是说，就算没有吃过唐僧肉，但按照仙界的常理，也可以推测出，吃唐僧肉是可以延寿长生的。

在朱紫国，孙悟空大展妙手，治好了久病的国王。孙悟空进献的药丸名叫“乌金丹”，其主要原料有三种——一两巴豆、半盏锅灰、小半盏马尿。

这国王因为在三年前端午节吃糯米饭团的时候受了惊吓，糯米饭团留在肠胃中一直不得出来。加上赛太岁掳走了他的皇后金圣宫娘娘，国王又是羞愧，又是害怕，于是一病不起。而国王服下这乌金丹后，立刻去上厕所，把三年前的糯米饭团都拉了出来。短短一天工夫，国王的精神恢复如初。

乌金丹为何如此神奇？

巴豆是泻药，锅灰为寒凉之物，对国王的病都有一定作用。但这两种寻常药方，此前的那些御医怎么可能开不出来？真正产生神奇效力的，是那半杯马尿。

听说马尿也能治病，笑翻了猪八戒。孙悟空解释说：“你不知就里，我那马不是凡马，他本是西海龙身。若得他肯去便溺，凭你何疾，服之即愈，但急不可得耳。”也就是说，孙悟空知道自己的药方中真正有效的是马尿——严格来说，是龙尿。

猪八戒拿着杯子让白龙马给尿尿，白龙马坚决不从，他说：“我若过水撒尿，水中游鱼食了成龙；过山撒尿，山中草头得味，变作灵芝，仙僮采去长寿。我怎肯在此尘俗之处轻抛却也？”

后来，在孙悟空的坚持下，白龙马努力了半天，终于挤出了小半盏尿。

服药时，国王询问，吃药丸需要什么药引。孙悟空一口气说了六种：“半空飞的老鸦屁，紧水负的金鱼尿，王母娘娘搽脸粉，太上老君炉里炼丹灰，玉皇戴破的头巾要三块，还要五根困龙须。”御医一听就苦了脸，说这六种都是人间找不到的。孙悟空改口说，那有无根水也成。

什么是无根水呢？就是从天空落下，用杯盏收起，没有沾到泥土的水。御医还是为难，说已经很久没下雨了，到哪里找无根水呢。

孙悟空大展神通，念动真言，唤来东海龙王敖广。最终，敖广打了两个喷嚏，吐了些唾液，在皇宫内下了一场小雨。宫女、太监们一共收集到三盏无根水。书中说这无根水“异香满袭金銮殿，佳味熏飘天子庭”。

从此可知，这东海龙王的唾液也不是凡品，在给国王治病时也必然发挥了大用。

回到前文，西天群妖为何疯传吃唐僧肉可以长生？我们细看原文，答案就在其中。

白骨精说：“他本是金蝉子化身，十世修行的原体。”

第一句话很好理解，唐僧是金蝉子转世。也就是说，唐僧的灵魂就是金蝉子，只是金蝉子的记忆被封印了。一旦记忆苏醒，唐僧就会变成真正的金蝉子。

第二句话有一个词很难理解，什么叫作“原体”呢？在别的妖怪口中，也有称呼唐僧是“十世修行的真体”的。“原体”也好，“真体”也好，在我看来，作者都是要强调：唐僧不但是灵魂，而且包括血肉都属于金蝉子。金蝉子本就是罗汉修为（原著中有唐僧是“十世修行的罗汉”之说），转世投胎后虽然记忆被封存，但是一直出家当和尚，一直在修行。积累了十辈子后，金蝉子这血肉之中，应当蕴含了很多能量。

所以，妖怪们说吃唐僧一块肉可以延寿长生。

当然，唐僧肉到底能延寿多少年呢？一百年？一千年？一万年？永远不死，寿与天齐？

在多数妖怪的口中，只是含混地说，吃唐僧一块肉可以延寿，可以长生，但并没有提到具体效果。在比丘国中，群仙中长寿专家寿星的坐骑白鹿精对国王说：“若得他的心肝煎汤，服我的仙药，足保万年之寿。”白鹿精提到，吃一千多个小儿心肝，只能延寿千年，可吃唐僧一人的心肝，就可以延寿万年。

金蝉子本就是罗汉修为，经历五百年修行之后，其血肉蕴含的能量堪比菩萨（地仙），取经路上再吃了一枚人参果，又时刻诵念《多心经》，到达灵山时一举成佛。其心肝只有一枚，将其全部服下可延寿万年。而吃唐僧一块肉，估计也可延寿千年。

千年，对高层仙人来说，只是一瞬。但是，对于草根妖怪来说，却是一生。

何况，其他仙佛各个都有无边法力，莫大神通，即便他们的肉身有无穷能量，人间的妖怪们也根本吃不到。别说吃，妖怪们只是远远见到，就要望风而逃。

唐僧则不然，他记忆丧失，法力全无，正是最为虚弱的时候。抓唐僧虽然有大风险，但吃唐僧肉的回报更大。在反复权衡下，西天群妖纷纷为吃唐僧一块肉而努力着。

正所谓：生命诚可贵，自由价更高；若为长生故，二者皆可抛。

第二十五节　三打白骨精

《西游记》第二十七回出现的白骨精，是西游世界当之无愧的美女妖怪。

白骨精第一次变化的是一个超级美女，书中这么写：“冰肌藏玉骨，衫领露酥胸。柳眉积翠黛，杏眼闪银星。月样容仪俏，天然性格清。体似燕藏柳，声如莺啭林。半放海棠笼晓日，才开芍药弄春晴。”

可以说，在传统小说中，像上面这种描写，几乎到了写美女的极致。

作者更用侧面描写的手法，以八戒、唐僧的反应，来烘托白骨精的美。

八戒动了凡心，忍不住胡言乱语，前去搭讪白骨精：“女菩萨，往那里去？手里提着是什么东西？”白骨精说要斋僧，八戒高兴，“急抽身，就跑了个猪颠风”。就连一贯沉稳的唐僧也跳起身来，合掌行礼说：“女菩萨，你府上在何处住？是甚人家？有甚愿心，来此斋僧？”确认美女是要斋僧后，唐僧批评说：“女菩萨，你语言差了。圣经云：父母在，不远游，游必有方。你既有父母在堂，又与你招了女婿，有愿心，教你男子还，便也罢，怎么自家在山行走？又没个侍儿随从。这个是不遵妇道了。”

很多时候，说话内容仅仅是表达含义的一个方面，当时的情境，说话者的语气、神情，都会影响到话语真正的含义。在“四圣试禅心”一回中，唐僧两句话“胜似在家贪血食，老来坠落臭皮囊”，把中年美妇说得大怒。只因唐僧表面上在说出家修行好处多，其实在嘲讽中年美妇只剩下臭皮囊，却还想着嫁他一个“小鲜肉”。

唐僧说白骨精不守妇道，看似批评，但话语中满是关切。因此，白骨精听了没有一点火气，反倒笑盈盈地继续和唐僧聊天。

后来，孙悟空回来要打杀白骨精，唐僧强力阻止。孙悟空不肯，还放了一句狠话：“师父，我知道你了，你见他那等容貌，必然动了凡心……”

若唐僧毫无色心，必定是勃然大怒，纯粹的大怒，可是，唐僧是什么反应呢？原文说他“羞得个光头彻耳通红”。只因悟空一言说中唐僧心事也。

能让唐僧都动心的，必然是超级大美女了。

如此美丽的白骨精，为何会被打死呢？有人会说，孙悟空不好色，白骨精色诱无效，自然会死。

其实，关键的问题，还在白骨精自己身上。

首先，白骨精的战斗实力实在太弱。

取经路上遇到的大妖怪，一般都有自己的地盘，小的有方圆五六百里，大的有八百里甚至几千里，麾下更有小妖无数。可是，白骨精的领地超小，只有一个方圆三五十里的白虎岭，手下一个小妖也没有，甚至自己连个兵器也没有。

白骨精三次遭遇孙悟空，都是被孙悟空一棒子打死。前两次，她用解尸法，将灵魂逃逸。可第三次，孙悟空早有防备，让土地、山神、揭帝守住四方，不准白骨精灵魂逃逸。结果，白骨精就被孙悟空一棒子打死了。

纵观三次交战，白骨精仅会变化之术、解尸法这两种幻化之术，缺乏最基本的对战技能。其战斗能力，估计只能比靠陷阱抓人的寅将军略高一些。

其次，白骨精太执着，执着到愚蠢的程度。

白骨精擅长的是变化之术，在打斗方面本领低微。像她这样的妖怪，在第一次尝试失败后，本应该远远逃遁。可是，白骨精竟然一而再，再而三地来抓唐僧。

若她能稍稍变通，在孙悟空离开队伍后再来，也还有获胜机会。可在第一次离开队伍去摘桃子后，孙悟空就一直在取经队伍中。此时，白骨精还去冒险，就不是勇敢，而是愚蠢了。

在许多时候，人要懂得放弃，尤其是当目标过于遥远的时候，更要懂得放弃。所谓“临渊羡鱼，不如退而结网”，白骨精完全可以等以后再下手，或者把消息卖给别人，以求分一杯羹。最不济也可以远远躲开，保全一条性命。

可是，白骨精一而再，再而三地去抓唐僧，飞蛾扑火般地去抓唐僧。这是为什么？莫非白骨精的脑子被烧坏了吗？

不是的，因为白骨精等不了。作者借孙悟空之口，点明了白骨精的修仙等级——“他是个潜灵作怪的僵尸，在此迷人败本”。原来，白骨精并非白骨成妖，而只是一具僵尸，一具拥有一缕残魂的僵尸。从仙人五个等级来看，她属于最末等的鬼仙。

鬼仙寿命很短，不过三五百年。白骨精在此处已经耗费了许多年，单靠她本身的力量，已经无法完成等级的突破，等待她的终究是一死。

可是，几年前她家人告诉她一个秘密，正是这个秘密让她本已经绝望的心开始激动。

只要吃了唐僧肉，她就可以躲开眼前寿命将尽的劫难。为了长生，白骨精拼了。那么，究竟是谁把这个消息告诉白骨精的呢？她的家人究竟是谁？

第二十六节　白骨来历

白骨精在西游故事中名气极大，来历却很不清楚。不过，我们可从一些蛛丝马迹中去寻觅。

有人说，白骨精之所以会成为取经路上第一个被打死的妖怪，是因为她没有背景。其实不然。

白骨精是有背景的，她不但有背景，而且她本就是天界仙人。只是，她错误地相信了一位仙界高层人物，最终赔上了小命。

白骨精是取经路上第一个相信吃唐僧肉可得长生而去抓捕唐僧的妖怪。可是，她的消息究竟源自何人呢？

我们看白骨精的话，可以发现以下几个重要信息。

第一，至少有一个人在散布吃唐僧肉可长生的传言。但对于这个人是谁，谁也不清楚。大家只知道，第一个正式说出这消息的人是白骨精。

第二，唐僧肉为何神奇？因为是金蝉子化身、十世修行的原体。而知道唐僧是金蝉子化身的，必然是仙界中人。

《西游记》第三十二回，金角大王说："你不晓得。我当年出天界，尝闻得人言：唐僧乃金蝉长老临凡，十世修行的好人，一点元阳未泄，有人吃他肉，延寿长生哩！"这句话再一次证明，吃唐僧肉可长生的消息，来自天界。

此前，书中人物明确提到唐僧是金蝉子的，唯有两人，一个是观音，一个是镇元大仙。观音是佛派高层，自然知道唐僧的来历。镇元大仙曾经参加五百年前的盂兰盆会。会上，金蝉子给他敬茶，他心怀感激，对金蝉子也比较关注。因此镇元大仙知道唐僧是金蝉子也不奇怪。

可是，这两个人没有散布这个消息的必要。

取经行动就是观音主持的。虽然她也请了不少天上的仙佛下界，化成妖怪为难取经队伍，但那是有约定的，即只能抓唐僧，不能吃唐僧。而镇元大仙与孙悟空结拜的一个重要目的，就是通过孙悟空与佛派高层交好，他也不可能放出这个消息。

而因为这个消息的放出，西天路上许多神通广大的妖魔纷纷出现，加入抓捕唐僧的队伍。因此，取经团队遭遇的危险系数大大增加，一些即便是观音也无法控制的因素开始出现。这对于取经团队顺利完成取经任务，是非常不利的。

所以，散播这个消息的仙人，应属于与以如来为首的佛派相敌对的势力。

散播消息的一方，明显不想让取经任务完成，或者说，不想让取经任务轻轻松松地完成。这股势力，不是佛派的敌对势力是什么？

以如来为首的佛派的敌对势力挺多：佛派内部不稳定，比如燃灯与弥勒，就与如来有嫌隙；而太上老君一直想要夺回佛派控制权；还有高高在上的玉皇大帝……

那么，白骨精背后的仙人到底是谁呢？我们还是应该从白骨精身上入手分析。

白骨精死后现出原形，乃是一具粉红骷髅，脊背上有四个大字："白骨夫人。"这四个字当然不会是白骨精自己刻上去的。既然称为"夫人"，有两种可能：一是白骨精前世地位高贵，被尊为夫人；二是白骨精为人妻子，其夫刻下"夫人"二字作为纪念。

白骨精法力低微，没有洞府，没有小妖，连个兵器都没有。这样的身家，实在和高贵的夫人不沾边。于是，"夫人"二字，当作某人的妻子解。

那么，白骨精的丈夫究竟是谁呢？

我的理解是，白骨精的丈夫是碗子山波月洞的黄袍怪，即天上二十八宿之一的奎木狼。

白骨精曾经说："师父，此山叫作蛇回兽怕的白虎岭，正西下面是我家。"白虎岭很小，不过方圆四十里。正西下方，就是碗子山。碗子山上住着一个妖怪，就是奎木狼下凡所化的黄袍怪。

在奎木狼禀奏玉皇大帝为何要下凡时，隐约透露了白骨精的真实身份：

“玉皇大帝道：‘奎木狼，上界有无边的胜景，你不受用，却私走一方，何也？’奎宿叩头奏道：‘万岁，赦臣死罪。那宝象国王公主，非凡人也。他本是披香殿侍香的玉女，因欲与臣私通。臣恐玷污了天宫胜境，他思凡先下界去，托生于皇宫内院，是臣不负前期，变作妖魔，占了名山，摄他到洞府，与他配了一十三年夫妻。一饮一啄，莫非前定，今被孙大圣到此成功。’玉皇大帝闻言，收了金牌，贬他去兜率宫与太上老君烧火，带俸差操，有功复职，无功重加其罪。”

据奎木狼所说，是披香殿的玉女想要和他私通，而他也有此意。但是，他唯恐在天上乱搞，会玷污了仙界。于是披香殿玉女先下凡去，托生在宝象国皇宫内，成了宝象国公主。奎木狼则为了不负约定，在十三天（年）前，也下凡去，在波月洞与化身公主的披香殿玉女成就好事。

只是，黄袍怪的理由中有太多破绽。

比如，既然宝象国三公主是披香殿玉女下界，为何对黄袍怪没什么真情实感？当唐僧被抓来洞中，是三公主主动找到唐僧，恳请为她带去书信，通知宝象国王带兵马前来降妖，解救自己。

比如，黄袍怪回到天界，恢复了神位，为何披香殿的玉女没有恢复仙身，返回天界呢？

比如，黄袍怪犯下私通、擅离职守两项大罪，可玉皇大帝的处罚为何那么轻呢？

我认为，真正的披香殿玉女，是白骨精而非宝象国三公主。真相是玉女因为没有躲过天劫而意外死亡，其主魂转世投胎，成为宝象国三公主。但因已经轮回转世，故玉女的法力尽失，记忆全丧。

披香殿玉女为何要与奎木狼（黄袍怪）私通？为了爱情？不是。

鬼仙、人仙的寿命不过是三五百年，神仙号称长生不老，其实不过是数千年寿命。多数神仙都生活在人间，只有极少数神仙会来到天庭。而来到天庭，寿命的消耗会大大增加。天上一天，地上一年嘛！多数神仙在天庭待个二三十年就死了。

那为何还有神仙愿意待在天界呢？因为天庭有蟠桃，有仙酒，有仙丹，有各种延长寿命的奇花异草。

可是，玉皇大帝的蟠桃会只是邀请大牌仙人参加，最低的也是各殿长官，比如奎木狼、猪八戒这个级别的。寻常的神仙根本没有机会吃到蟠桃。于是，各种交易在天界流行。

只是，神级仙人在天庭是垫底的存在，他们使用的兵器、丹药，地仙们都看不上。于是，一些女神仙就只能用贞操，用元阴来换取蟠桃、仙酒等长生物品。

披香殿玉女应该就是想通过这种方式，和奎木狼进行交易，以求延寿。

因为天庭禁止这种事情，奎木狼便让披香殿玉女先下界等候，自己则晚些下去，以避人耳目。

结果，披香殿玉女一去凡间就是很多年（可能几百年）。奎木狼却一直没有下去。为什么没有下去呢？因为他接到了玉皇大帝的秘密任务，要在特定的时间才能下凡。

在全书第一回中，菩提祖师曾经说过，仙人修行乃是夺天地之造化，侵日月之玄机。修成仙人后，天地就会降下灾难消灭仙人，以维持生与死的平衡。第一灾是天雷，第二灾是阴火，第三灾是赑风。

玉女虽然已经是神仙之体，但是并没有躲过三灾。第一灾比较好躲，天雷乃是外力，在他人护持下即可以躲过。可是，第二灾、第三灾都来自本体，一个从脚底涌泉穴升起，一个从脑门进入。第二灾若不能躲过，就会“五脏成灰，四肢皆朽，把千年苦行，俱为虚幻”。

奎木狼下界时，披香殿玉女已血肉俱毁，只剩下骨架。奎木狼大展神通，勉强召回玉女的一缕残魂，让其以鬼仙状态暂且生存。但鬼仙寿命短暂，为了安抚玉女，更为了玉皇大帝交代的重大使命，奎木狼告诉玉女，吃一块唐僧肉，便可得长生。

正因为是奎木狼所说，更因为大限将至，玉女（白骨精）才一而再，再而三地拼死抓唐僧。

奎木狼散播这个消息，当然不是自作主张。他是受命于玉皇大帝。也正因为如此，奎木狼虽然犯下私通、擅离职守的两项大罪，也只是被罚去给太上老君烧了七天的火了事。

那么，为何玉皇大帝要散布这个消息呢？

第二十七节　玉帝态度

取经行动乃是玉皇大帝批准、如来主导、观音主持的一项大型工程。这项工程施行的难度极大，作为具体执行者的孙悟空曾经向观音诉苦。观音安慰孙悟空说：“假若到了那伤身苦磨之处，我许你叫天天应，叫地地灵。十分再到那难脱之际，我也亲来救你。”

观音是如来帐下得力助手，乃佛派排名第四十七位的仙人。虽然她还有另一重身份——仙界五方五老之一，但无论是佛派的身份，还是仙界的身份，都不足以让观音许下“叫天天应，叫地地灵”的诺言。因为，这天，是玉皇大帝的天；这地，是玉皇大帝的地。可是，取经路上，一旦唐僧有难，不但随身保护的六丁六甲、五方揭谛、十八位护驾伽蓝随时听候孙悟空调遣，而且天上地下满天仙佛确实都随叫随到，基本上没有不出手帮忙的。

有人说，这主要是孙悟空人脉广、面子大。孙悟空确实面子大。各处的山神、土地见了他，胆战心惊；东海龙王见了他，主动相迎。可是，再高级一点的仙人呢？

孙悟空来到海外三岛，听闻孙悟空推倒了人参果树，福、禄、寿三星说：“你这猴儿，全不识人。那镇元子乃地仙之祖，我等乃神仙之宗。你虽得了天仙，还是太乙散数，未入真流，你怎么脱得他手？”言语之中对孙悟空很不客气。

至于天庭军方代表托塔李天王，对孙悟空的态度貌似和气，心底则根本看不起他。在老鼠精故事中，听闻孙悟空要到玉皇大帝面前告他教子不严，李天王大怒说：“这猴头着实无礼！且莫说我是天上元勋，封受先斩后奏之职，就是下界小民，也不可诬告。律云：诬告加三等！”随即，李天王就命令将孙悟空绑了，要将其先斩后奏，以正其名。

三界仙人之所以会卖孙悟空的面子，观音之所以能夸下海口，那都是因为背后有如来支持。而如来之所以能够做到这一点，完全是因为有玉皇大帝支持。

没有玉皇大帝授权，如来能让三界仙人出手相助吗？不能。

那么，玉皇大帝为何要帮助如来取经，他对如来究竟是怎样的态度呢？

首先，要明确，玉皇大帝和如来之间是君臣关系、上下级关系。

玉皇大帝乃三界至尊、天庭之主。

三界之间，有一个公认的仙人排行榜。即三清、四帝、五老、六司、七元、八极、九曜、十都。这些都算是仙界高层。高层之下有中层，比如十二元辰、二十八宿，还有各殿各处尊神。这个排行榜乃官方钦定，既是个人实力的象征，也是掌控权力的表现。

如来对玉皇大帝三界之主的身份，是非常认可，并绝对尊重的。

有一种观点说，是如来刻意制造了孙悟空，导演了大闹天宫，抬高佛派地位，与道派抗衡，以最终扳倒玉皇大帝。《西游记》的故事，那就是佛派东扩的故事。我不赞同这种观点。如来有什么能力和玉皇大帝对抗呢？

我们看原文：

“如来佛祖殄灭了妖猴，即唤阿傩、迦叶同转西方极乐世界。时有天蓬、天佑急出灵霄宝殿道：‘请如来少待，我主大驾来也。’佛祖闻言，回首瞻仰。须臾，果见八景鸾舆，九光宝盖；声奏玄歌妙乐，咏哦无量神章；散宝花，喷真香，直至佛前谢曰：‘多蒙大法收殄妖邪，望如来少停一日，请诸仙做一会筵奉谢。’如来不敢违悖，即合掌谢道：‘老僧承大天尊宣命来此，有何法力？还是天尊与众神洪福。敢劳致谢？’”

再有：

“（群仙）向佛前拜献曰：‘感如来无量法力，收伏妖猴。蒙大天尊设宴呼唤，我等皆来陈谢。请如来将此会立一名，如何？’如来领众神之托曰：‘今欲立名，可作个安天大会。’各仙老异口同声，俱道：‘好个安天大会！好个安天大会！’”

原文中，玉皇大帝对如来是什么态度？他表面上客气，骨子里是高高在上，所说的话，不是商量，更不是请求，而是命令。

如来呢？原文说“不敢违悖”，明显是下级对上级的态度。如来明明白白立下大功，可话语中丝毫不敢居功：我是奉大天尊（玉皇大帝）您的命令前来，降妖乃是本分。因此，如来降伏孙悟空后本来是准备直接走人的，没有玉皇大帝的宣召，他不能上天，更不能进灵霄殿——他即便有功劳，那也是玉皇大帝和众神的洪福。

由此可见，如来不但不只是对玉皇大帝谦恭有加，而且对其他大神也客客气气，甘居下位。因为他明白，孙悟空没什么了不起。不是天庭没有能人，降不了孙悟空，而是玉皇大帝没让其他人出手。

至于如来自己命名为安天大会，有人认为，此处显得他狂气十足，自诩没有他天庭难安。我不这么看。我认为，如来给庆功会命名为安天大会，不但不是狂妄，反而尽显忠心——对玉皇大帝的忠心，即我所做的一切，不是为了显摆，而是为了安定天庭，安定玉皇大帝之天庭。

也正因为如来应对得宜，群仙才会连连说好。

其次，玉皇大帝重用如来，是要打击太上老君派；如来趁机提出取经，则是要扩张势力。

看问题，不能只看表面。

天庭仙人能人众多。佑圣真君的副将王灵官就可以和暴走状态下的孙悟空打个平手，何况其他大仙！玉皇大帝之所以不再让群仙出手，转而请如来，就因为在孙悟空大闹天宫时，他敏锐地发现，天庭不少仙人在为孙悟空放水，放纵孙悟空搞破坏。

玉皇大帝清楚，这是他的老对手太上老君在作怪。太上老君乃太上道祖，三界仙人多多少少都和他有点关系。有的人是太上老君的铁杆粉丝，如太白金星（九曜），有的人暗中偏向太上老君，还有更多的人不愿意蹚浑水，在太上老君与玉皇大帝斗争时明哲保身。

为了避免事情恶化，玉皇大帝才请三百六十年才上一次天的如来出手。因为如来的佛派中没有一位佛、菩萨在天界任职、居住，牵涉太上老君派的可能性最低。

玉皇大帝就是要通过抬高如来的佛派势力，来打压天庭中蠢蠢欲动的太上老君派势力，以在借力打力中，找寻新的平衡。

如来不傻，当然不会白当枪手。他讨要的回报就是取经行动。

如来为何要搞取经？他其实不是为了和道派争权，而是为了清扫内部势力，努力把西牛贺洲经营好。

很多人误以为如来的势力很大。其实相反，如来的势力比较有限。

如来以及三千揭帝都住在西天灵山上的大雷音寺中。只有极少数菩萨有自己的道场。

很多人都以为，取经是佛派东扩，最终占领南赡部洲。这其实是有些想当然了。

在原著中，唐僧从大唐出发，前行数千里，都太平无事。他从过两界山开始才进入西牛贺洲。

取经路上无数赫赫有名的妖怪，都是西牛贺洲——如来辖地上的妖怪。比如，白龙马，猪八戒，沙和尚，白骨精，黄袍怪，金角、银角大王，红孩儿，虎、羊、鹿三仙，金鱼精，青牛精，蝎子精，牛魔王，狮驼岭上的狮子精、大象精、大鹏雕，黄眉怪，九灵元圣，犀牛精，玉兔精，等等。

大家看到了吧，孙悟空一路降伏的妖怪，全都是属于如来掌管的西牛贺洲上的妖怪。

这些妖怪，有的是观音请来，充作八十一难的，有的是原属于太上老君一派的，有的是没有背景的道派散修派出的，有的是如来自己放下来的。总之，如来要通过孙悟空的取经行动，把不臣服于自己的势力全部清除干净。原来信奉道法的，要改为信奉佛法；原来是在野势力的，现在要收归自己；原来是其他佛派成员的，也要让位。总之，取经行动与其说是佛道之争，不如说是如来借取经之名，发动的一次实现真正掌控西牛贺洲的清扫行动。

因如来本就是西方佛老，玉皇大帝对如来的取经行动，明面上只能表示支持。

最后，玉皇大帝对如来并没有放手。他对如来是既利用，又打压。

玉皇大帝很不希望看到如来的取经行动顺利进行。若如来成为另一个太上老君，超脱他的掌控，那玉皇大帝不是搬起石头砸自己的脚吗？

那怎么打压佛派势力呢？

玉皇大帝想了一个损招，他让二十八宿之一的奎木狼下界，找寻机会放出消息：吃一块唐僧肉，便可得长生。

只要西牛贺洲的妖怪知道了这个消息，必定不分派系，都来抓唐僧吃。

观音安排下凡充八十一难的这一批妖怪，对取经队伍没有真正的威胁。而那些不请自来的妖怪，对唐僧却是致命的威胁。苦修的妖怪谁不希望长生？有这么好的事情，谁不卖命去吃唐僧肉？只要有一个妖怪能吃掉唐僧，那取经行动不就彻底失败了吗？

但是，玉皇大帝已公开支持如来的取经行动，对其打压自然不能表现在明面上。

为何奎木狼下凡是十三年，不是十二年或十四年？因为在唐宋时期，皇帝在初一、十五会举行正式朝会，百官必须到场。而中间的十三日，百官只是在本衙署上班。于是，奎木狼在初二日下凡，十四日返回，本可天衣无缝地办好差事。谁料想孙悟空直接上天寻找，戳穿了黄袍怪的仙人身份。

幸亏奎木狼机灵，编了一个半真半假的谎言，说与披香殿玉女私通下界云云，极好地掩盖了他下凡的真实意图。那么，披香殿玉女，即那个宝象国公主，又是个怎样的人呢？

第二十八节　公主无情

当我们爱极了一个人的时候，常常会为对方许下誓言，比如愿生生世世永为夫妻。这种誓言，说起来很动人，可是实践起来极难。一个美好的爱情故事，在残酷的现实面前，常常会变成一个血淋淋的恐怖故事。

二十八宿之奎木狼和宝象国公主百花羞之间，就是如此。

奎木狼和百花羞的前世披香殿玉女情投意合，两人相约下界。无论是因思凡下界，还是为渡劫下界，一个不容否认的事实是，奎木狼愿意为玉女放弃在天庭的高官厚禄，宁愿背负擅离职守之罪，也要和玉女厮守一生。

可惜，奎木狼在天庭任职，人在官场，身不由己。玉皇大帝发话，奎木狼不得不听从。于是，玉女先行离开，奎木狼迟到了十五天。

天上一日，下界一年。在天庭的十五天很短暂，但在人间，十五年足够生死轮回，物是人非。

等到奎木狼下界时，玉女已经死去。玉女的魂魄念念不忘奎木狼，投胎在距离波月洞不远的宝象国，成为公主百花羞。

以奎木狼的神通和地位，很快就打探到玉女转世投胎的信息。于是，在八月十五明月夜，他驾祥云来到宝象国，抱走了百花羞。

若百花羞有前世玉女的记忆，看到情郎终于到来，该是何等幸福？按照奎木狼的剧本，应该是有情人终成眷属，两人从此过上幸福的生活……

可惜，在踏上奈何桥时，玉女按照规定喝了孟婆汤，泯灭了前世的记忆。她今世眼前看到的，是一个金睛蓝面的青发魔王，张着血盆獠牙，长相丑陋，气息可怕。等到了波月洞，那万恶的魔王更是强行和她成亲，限制她的行踪，蹂躏了她足足十三年。

十三年的魔窟生活，让百花羞不再柔弱，甚至不再善良，她身上更多的是无情，甚至狠毒。

奎木狼对百花羞极好，好到千依百顺。可百花羞对奎木狼如何呢？

孙悟空见到百花羞后，说："你且回避回避，莫在我这眼前，倘他来时，不好动手脚，只恐你与他情浓了，舍不得他。"公主道："我怎的舍不得他？其稽留于此者，不得已耳！"

这十三年，百花羞穿戴的是绫罗绸缎，吃喝的是山珍海味。丈夫奎木狼对百花羞宠爱有加，就连手底下那些小妖，一个个对百花羞都万分尊敬。百花羞过的，一直就是公主、皇后一般的生活。

可在这样的环境下，百花羞一直都盼望着离开奎木狼，甚至盼望着奎木狼去死。

孙悟空告诉百花羞，要想回去宝象国，重新过上公主的生活，只有一条路，就是让孙悟空打倒他——若非奎木狼有仙箓，百分百会被孙悟空一棒打死。对此，百花羞毫不迟疑，果断接受。

奎木狼十三年的宠爱，在百花羞眼中，只是噩梦。

奎木狼强行霸占在先，百花羞对其心生怨恨尚可理解。可是，孩子是无辜的。对于自己与奎木狼生下的两个孩子，百花羞是怎么对待的呢？

孙悟空到达波月洞，看到洞门口有两个孩子在嬉闹。一个十来岁，一个八九岁。孙悟空二话不说，直接飞下去把两个孩子拎起。孩子不停哭喊，惊动了洞里的百花羞。

慌忙之下，百花羞说："那汉子，我与你没甚相干，怎么把我儿子拿去？他老子利害，有些差错，决不与你干休！"在外人面前，可怕的丈夫奎木狼也可以成为她的保护伞。

孙悟空提出，要用两个孩子换沙僧。百花羞立刻放了沙僧，孙悟空却不放两个孩子。此时，百花羞大骂孙悟空不讲信用。可在孙悟空说了一番话后，百花羞竟然就让孙悟空带走了孩子。

孙悟空是这么说的："公主啊，为人生在天地之间，怎么便是得罪？"公主道："我自幼在宫，曾受父母教训。记得古书云：五刑之属三千，而罪莫大于不孝。"孙悟空说："你正是个不孝之人。盖父兮生我，母兮鞠我。哀哀父母，生我劬劳！故孝者，百行之原，万善之本。却怎么将身陪伴妖精，更不思念父母？非得不孝之罪如何？"

孙悟空搬出"孝"字大旗，让百花羞满脸羞愧。孙悟空又告诉百花羞，自己定然会帮助公主擒拿妖怪，带公主回朝，然后"别寻个佳偶，侍奉双亲到老"。

在孙悟空这些条件下，百花羞选择了放弃。她这一放弃，就等于葬送了两个孩子的性命。

百花羞总结十三年的生活——“不得已耳!”只要有可能，她就要回家。无论是宠爱自己的丈夫，还是怀胎十月养育多年的娃，都不能拖住她。为了回家，她可以放弃现有的一切。

百花羞为何会对奎木狼无情，对自家孩子狠毒呢？真的只是为了孝顺父母吗？

不能孝敬父母，自然是大罪。可若是因为要孝敬父母，就抛下丈夫，舍弃儿子，这同样不该。

真正的原因，我们可以在百花羞转托唐僧送出的家书中找到。原文说：

“不孝女百花羞顿首百拜大德父王万岁龙凤殿前：拙女幸托坤宫，感激劬劳万种，不能竭力怡颜，尽心奉孝。乃于十三年前八月十五日良夜佳辰，蒙父王恩旨着各宫排宴，赏玩月华，共乐清霄盛会。正欢娱之间，不觉一阵香风，闪出个金睛蓝面青发魔王，将女擒住。驾祥光，直带至半野山中无人处，难分难辨，被妖倚强，霸占为妻。是以无奈捱了一十三年，产下两个妖儿，尽是妖魔之种。论此真是败坏人伦，有伤风化，不当传书玷辱。但恐女死之后，不显分明。正含怨思忆父母，不期唐朝圣僧，亦被魔王擒住。是女滴泪修书，大胆放脱，特托寄此片楮，以表寸心。伏望父王垂悯，遣上将早至碗子山波月洞捉获黄袍怪，救女回朝，深为恩念。草草欠恭，面听不一。”

原来，百花羞厌弃奎木狼、不喜欢两个孩子的真正原因，是因为奎木狼是妖魔，而孩子也是妖魔之种。

在百花羞看来，人妖有别，自己被奎木狼掳走，已经是败坏人伦，还生下了两个孩子，更是有伤风化。于是，赶走奎木狼，弄死两个孩子，几乎就成了必然的事情。不少读者觉得孙悟空把两个孩子弄走，八戒、沙僧当庭摔死孩子，非常残忍。可是，在百花羞和宝象国君臣看来，这是大好事。这样，百花羞既不用亲手杀死孩子，又可以彻底斩断与妖魔的联系，做回人类公主。

只是，人妖之别真的那么重要吗？

奎木狼曾变作俊美书生前往宝象国，结果国王也好，百官也好，人人欢喜。在奎木狼的法术加忽悠下，宝象国君臣甚至认为唐僧才是妖怪。结果就出现了荒唐的一幕：唐僧被当成虎精，押在铁笼之中；奎木狼被当成上宾，在殿中大口吃人肉。

原来，所谓妖魔只是长相丑陋而已。只要长得帅，那就是人，就是仙，就会受到君臣拥戴。百花羞和宝象国君臣都是“外貌协会”的。

奎木狼精通变化之术，他完全可以化身帅哥与百花羞相处。可是，他却以本相待之。这是他对百花羞的真诚，也是对玉女的纪念。可是，在百花羞看来，青面獠牙的奎木狼只是妖怪，而绝非情郎。

不单单是奎木狼遭受了这样不公正的待遇，当年的猪八戒何尝不是如此。

孙悟空曾经为八戒鸣不平，他告诉高太公：“他是一个天神下界，替你把家做活，又未曾害了你家女儿。想这等一个女婿，也门当户对，不怎么坏了家声，辱了行止，当真的留他也罢!”

可是，在高太公看来，怎么会有那么丑的天神呢?

他绝不相信。

像百花羞、高太公这样只看外表、不察本质的人实在太多。

第二十九节　“草包”兄弟

为救唐僧，救公主，猪八戒与沙和尚两度大战黄袍怪，可是，二人的战绩很惨。二人敌一，不过八九个回合就落败。八戒逃跑，沙僧被擒。想那八戒、沙僧也是天神下凡，在天庭的地位还比黄袍怪（奎木狼）要高，而此前二人与孙悟空大战时，也不过略逊一筹，差距并不明显。

原著第十九回，孙悟空与猪八戒在福陵山云栈洞前大战，双方从头天的二更时分（21∶00–23∶00）打到第二天天发白（3∶00–5∶00），前后大约战了七个小时，“那怪不能迎敌，败阵而逃”。猪八戒为何落败呢?因为人家本就是到妻子那里去睡觉的，没想到遭遇孙悟空，折腾了一夜。休战之后，猪八戒又累又饿，呼呼大睡去了。因此，八戒落败的关键，不在战斗水平差，而是体力透支。

原著第二十二回，猪八戒大战沙和尚，双方一共有三战。第一次陆战，双方大战二十回合不分胜败。据八戒说，沙僧已经有些手软。第二次水面战，双方大战四个小时，不分胜败。第三次水下战，双方大战三十个回合，不分强弱。虽然流沙河弱水的特性让主场作战的沙和尚略有加分，但说沙僧陆地、水下功夫最多不过略逊八戒一筹，这是没有问题的。

也就是说，论起战斗技能，孙悟空≥猪八戒≥沙和尚。他们之间须打斗超过七个小时，才可以分出输赢胜败来。

让人大跌眼镜的是，八戒、沙僧除了出场第一战相当精彩外，以后的每次作战都非常草包，非常窝囊。作者的旁白经常说，八戒、沙僧没什么本事。每次降妖，总是孙悟空冲锋在前，八戒抽冷子筑一钯抢个功劳，沙僧则负责保护师父和行李。结果经常是师父没保护好，八戒、沙僧也都被妖怪擒拿。

八戒、沙僧的第一次实力暴跌，正是在遭遇黄袍怪时。

他们和黄袍怪一共有两次交手，情况惨不忍睹。我们看原文：

“（第一次）却说那八戒、沙僧与怪斗经个三十回合，不分胜负。你道怎么不分胜负？若论赌手段，莫说两个和尚，就是二十个，也敌不过那妖精。只为唐僧命不该死，暗中有那护法神祇保着他，空中又有那六丁六甲、五方揭谛、四值功曹、一十八位护教伽蓝，助着八戒、沙僧。”

“（第二次）他们在那山坡前，战经八九个回合，八戒渐渐不济将来，钉钯难举，气力不加。你道如何这等战他不过？当时初相战斗，有那护法诸神，为唐僧在洞，暗助八戒、沙僧，故仅得个手平。此时诸神都在宝象国护定唐僧，所以二人难敌。那呆子道：‘沙僧，你且上前来与他斗着，让老猪出恭来。’他就顾不得沙僧，一溜往那蒿草薜萝，荆棘葛藤里。那怪见八戒走了，就奔沙僧。沙僧措手不及，被怪一把抓住，捉进洞去。”

总结下这两次战斗，若是单挑，八戒也就是和黄袍怪打个五六回合就会落败。沙僧更差，估计三四回合就该被抓。原著写得明白，即便是二十个和尚，也斗不过黄袍怪。黄袍怪的单挑实力，竟然在八戒或沙僧的十倍以上。

是不是黄袍怪真的很牛呢？

根本不是。

八戒到花果山请来孙悟空，孙悟空吩咐八戒把黄袍怪的儿子摔死，黄袍怪暴怒。孙悟空大战暴走状态的黄袍怪时，“他两个战有五六十合，不分胜负”。

那么，是不是黄袍怪的实力真的和孙悟空相当呢？不是。看原文：

“行者心中暗喜道：‘这个泼怪，他那口刀，倒也抵得住老孙的这根棒。等老孙丢个破绽与他，看他可认得。’好猴王，双手举棍，使一个高探马的势子。那怪不识是计，见有空儿，舞着宝刀，径奔下三路砍。被行者急转个大中平，挑开他那口刀，又使个叶底偷桃势，望妖精头顶一棍，就打得他无影无踪。”

后文又道：“他原来是孙大圣大闹天宫时打怕了的神将。”黄袍怪（奎木狼）在二十八宿中，绝对是数一数二能打的好手，可绝非孙悟空对手。在五六十回合情况下，孙悟空游刃有余，黄袍怪却心慌意乱。孙悟空一棒打下，本可以把黄袍怪打死。但这黄袍怪估计会某种保命手段，可以瞬间遁走。逃走后，黄袍怪心胆俱裂，躲在山涧中，用水气屏蔽气息，再不敢出头。

如此一来，问题来了。既然黄袍怪的武艺不如孙悟空，那猪八戒、沙僧双战黄袍怪，为何还一逃跑、一被擒呢？

这里面明显有猫腻。

其实，猪八戒和沙和尚早就认出了黄袍怪，黄袍怪也认出了他们，只是大家很默契地不说破。

黄袍怪是什么打扮？

“青脸红须赤发飘，黄金铠甲亮光饶。裹肚衬腰袛石带，攀胸勒甲步云绦。闲立山前风吼吼，闷游海外浪滔滔。一双蓝靛焦筋手，执定追魂取命刀。要知此物名和姓，声扬二字唤黄袍。”

黄袍怪乃真身下界，青脸、红须、赤发、蓝手，这些都是标准的奎星模样，八戒、沙僧一看便知。而八戒、沙僧虽然容貌与当初有变化，手中的九齿钉钯、降妖宝杖却是三界享有大名的神兵利器。黄袍怪怎么可能不知道？

可是，大家你不认我、我不认你，一点交情也不讲，见面就开打。这明显不合理嘛！

原因只有一个，三个人都明白，大家都是肩负特别任务下界，知道得越少，对自己越安全。

八戒乃师父太上老君指派，混入取经队伍。沙僧乃玉皇大帝指派，混入取经队伍。黄袍怪也是玉皇大帝指派。只是沙僧是长期潜伏，黄袍怪是临时委任。黄袍怪的目的，表面上是抓唐僧，把唐僧变成老虎，其实根本的目的是，隐秘散布“吃一块唐僧肉，便可得长生”的消息。

因此，唐僧被抓后，黄袍怪没有羞辱他，也没有喊打喊吃。公主百花羞一句话求情，黄袍怪就把唐僧送出洞去。且人家在之前根本就没想为难唐僧，是唐僧自己看到金光，走入了波月洞中。

后来，八戒、沙僧贪功，在宝象国国王的邀请下，前来抓捕黄袍怪。黄袍怪擒拿沙僧后，原著说：“那怪把沙僧捆住，也不来杀他，也不曾打他，骂也不曾骂他一句。”按照妖怪的暴脾气，对沙僧这种忘恩负义的人，还不该剥皮抽筋?

只因黄袍怪知道沙僧也是玉皇大帝的人，怎么会为难他呢?

有重任在肩，不便暴露实力，彼此妨碍，这是三人掩藏实力的重要原因。

当初观音在收编八戒、沙僧的时候都说得明白，一旦完成取经，便可回复职位，得到正果。为了自己的前途，八戒、沙僧是应该拼命的啊！他们二人遭遇黄袍怪时隐藏实力还情有可原，为何以后遭遇其他妖怪，甚至是没有任何背景的野妖时，他们怎么也表现得那么“草包”呢?

只因取经行动的分工已经明确。打妖怪再多，也不能给八戒、沙僧再增加什么功果。

观音在收编沙僧、八戒、白龙、孙悟空的时候，并没有明确交代取经团队的内部分工。因此，当一行五人汇聚后，曾就分工问题展开大讨论。猪八戒想要抛下挑担任务，也加入降妖团队，但被孙悟空一口拒绝。孙悟空说：“老孙只管师父好歹，你与沙僧，专管行李马匹。但若怠慢了些儿，孤拐上先是一顿粗棍!”

孙悟空以取经团队战斗力第一人的身份宣布分工：唐僧是包裹；孙悟空负责押送包裹，降妖捉怪；八戒管后勤，负责行李；沙僧管后勤，负责马匹。猪八戒对分工不满，可是面对孙悟空的强势，其反对无效。

师父唐僧对孙悟空的这个分工采取默认态度，老三沙和尚也一言不发。于是，在以后的许多年，取经团队都保持着这个分工模式。

第三十节　一逐悟空

在白骨精、黄袍怪故事中，唐僧先是发狠将孙悟空赶走，后来又表态接纳孙悟空回归。这一逐一纳之间，到底发生了什么？

表面上，唐僧是因为孙悟空连续三次打死无辜人类而坚持赶走孙悟空，背地里却另有原因。

首先，唐僧对孙悟空的怨气由来已久。

离开五行山不久，因为唐僧训斥孙悟空打死六个强盗，孙悟空一怒之下离开唐僧。虽然被龙王劝回，却被唐僧（观音）打着关心的名义，骗着戴上了金箍。孙悟空大怒，想要打死唐僧，却不想《紧箍咒》实在厉害，令孙悟空疼得几乎昏死过去。在这样的情况下，孙悟空选择了隐忍。

一路走来，孙悟空对唐僧不够尊敬，动辄训斥唐僧。猪八戒加入后，孙悟空又训斥猪八戒。总之，孙悟空始终把自己定位在取经团队决策者的角色上。这让唐僧非常不爽。

观音禅院老院主询问唐僧有何宝贝时，唐僧说没有。孙悟空却跳出来，硬是要炫富。结果老院主看到袈裟，眼红了，贪心了。观音禅院的和尚们放了一把火，想要烧死唐僧。孙悟空知道了，不但不阻止，还趁机做法吹风把偌大一个观音禅院变成一片废墟。整得老院主也撞墙死了。

黑风山的黑熊精能抢走袈裟，也全是因为孙悟空。由孙悟空负责取回袈裟，可谓天经地义。唐僧对孙悟空并没有什么感激。

黄风岭前，虎先锋前来挑战时，八戒已经上前。当时唐僧再三劝说孙悟空留下保护自己，但孙悟空就是不听。结果，虎先锋“金蝉脱壳”逃出八戒的追捕，反倒把唐僧抓入洞府。

唐僧第一次被抓，是在双叉岭上遇到寅将军。那时候他身边只有两个凡人，根本没有自保之力。眼下孙悟空神通广大，完全可以保护唐僧，可他一点不尽心保护。唐僧第二次被抓后，哭了很久。他怎么可能不怨恨孙悟空？故等到孙悟空请来灵吉菩萨降伏黄风怪时，唐僧只是感谢灵吉菩萨，没有一句话感谢孙悟空。

“四圣试禅心”一事中，唐僧在不知情的前提下，差点没有把持住自己。若非猪八戒色胆包天，冲在前面蹚雷，那中招的可能就是唐僧。

后来，孙悟空笑笑说，他早就知道四女是菩萨变的。唐僧当时合掌诵念，嘴上没有说什么，心中肯定会埋怨孙悟空不早早提醒他。

至于五庄观与镇元大仙的一场风波，更完全是孙悟空挑起的。人家好意请唐僧吃人参果，唐僧没吃，也没得罪人。大家住一天就走，太平无事，多好。可那孙猴子就是个惯偷。不但偷了人参果，还把人家的人参果树给推倒了。最后若非有观音菩萨出面，大家还不知道事情会如何收场！

可以说，许多祸事都是孙悟空挑起的。或者说，孙悟空本可以避免许多祸事，可他不但不避免，还处处挑事、惹事。

其次，猪八戒挑拨离间，煽风点火。

在加入取经队伍之初，猪八戒和孙悟空的关系是很不错的。听闻孙悟空是取经人的大弟子，猪八戒立刻停战，要求拜见师父。孙悟空提出，必须交出兵器，八戒则老实交出。孙悟空又提出，必须绑起来再说，八戒也老老实实被绑起来。孙悟空一路推推搡搡，弄得八戒生疼，八戒也没有放在心上。

黄风岭前，孙悟空嘲笑八戒贪吃，八戒只是哀求唐僧做主。流沙河前，孙悟空让八戒上前战沙僧，自己在后伏击。两人的配合虽然算不得默契，但是即便未抓住沙僧，“他两个搀着手，说说笑笑，转回见了唐僧”，师兄弟感情还是极好。

孙悟空和猪八戒的感情产生裂痕，是从沙僧加入开始，到“四圣试禅心”一回时彻底形成。从那之后，八戒对孙悟空就一直仇视，一旦有机会，就污蔑孙悟空，挑拨唐僧念《紧箍咒》。

究竟为了什么事情，两人闹僵了呢？

黎山老母、观音等菩萨变成美女，诱试唐僧师徒时，孙悟空早就察觉了，可他不但不提醒八戒，反倒调唆八戒去成亲。在八戒被吊了一夜之后，大家都明白了真相。猪八戒高叫：“师父啊，绷杀我了！救我一救！下次再不敢了！”孙悟空说：“兄弟，莫睬他，我们去罢。”孙悟空若是会做人，应当安慰八戒几句。可他没有。他不但没有安慰八戒，反倒表态要抛下八戒，将其赶出取经队伍。

最后还是唐僧说情：“那呆子虽是心性愚顽，却只是一味懞直，倒也有些膂力，挑得行李，还看当日菩萨之念，救他随我们去罢，料他以后再不敢了。”唐僧的理由是猪八戒还可以挑担，且是菩萨定下的取经团队成员，不能轻易赶走。听师父如此说，猪八戒自然大喜，而对孙悟空则怀恨在心。

一路上，猪八戒虽然恨孙悟空，却知道自己打不过孙悟空，有心无力。五庄观时，大家被镇元大仙的乾坤袖抓了回来。孙悟空让大家放心，晚上带大家逃走。猪八戒说，大师兄肯定是自己偷偷溜走，留下他们三个不能变化的人顶缸。在此时，孙悟空说出了一个秘密——孙悟空说，自己不能走，因为唐僧可以念《紧箍咒》，一念他就疼死，逃到天涯海角也没用。

孙悟空本是表明心迹，听入八戒耳中却是大喜，他终于找到了整治孙悟空的不二法门。此后，八戒一旦有机会，就污蔑孙悟空，挑拨唐僧念《紧箍咒》。猪八戒不愧是在天庭当了多年高层的人，借刀杀人、借力打力等技巧被他玩得非常顺溜。

最后，也是最重要的，孙悟空说话做事冲动而执拗，不知变通，再三挑战唐僧的威权。

白骨精化身美女前来引诱唐僧，孙悟空回来就要将其打杀。唐僧劝阻他，他不但不听，还嘲讽说：“师父，我知道你了，你见他那等容貌，必然动了凡心。若果有此意，叫八戒伐几棵树来，沙僧寻些草来，我做木匠，就在这里搭个窝铺，你与他圆房成事，我们大家散了，却不是件事业？何必又跋涉，取甚经去！”

孙悟空这话说得狠毒。前不久，黎山老母、观音菩萨才刚警告了唐僧师徒。孙悟空若是嘲笑八戒，甚至嘲笑沙僧都无妨，大家是平辈，可嘲笑唐僧就不对了，那可是师父。而且，打人不打脸，孙悟空公然说唐僧动了色心，让唐僧下不来台，唐僧怎能不怒？

结果，孙悟空挥棒打死白骨精后，唐僧就念《紧箍咒》，然后要把孙悟空赶走。

面对发怒的师父，孙悟空不是软语哀求，而是威胁说：“没有我，你去不了西天！”唐僧更生气了。孙悟空没有法子，才说自己没有报答师父的救命大恩，不能回去。“若不与你同上西天，显得我知恩不报非君子，万古千秋作骂名。”见孙悟空以恩义求饶，唐僧才作罢。

不久，白骨精变成老婆婆，孙悟空又上前，“更不理论，举棒照头便打”。唐僧恼了，说刚打死一个人，现在又打死一个人。孙悟空说打死的是妖精。唐僧说哪来那么多妖精，并又要将孙悟空赶走。孙悟空这次说，要赶走他也可以，把金箍解开再说——“师父果若不要我，把那个《松箍儿咒》念一念，退下这个箍子，交付与你，套在别人头上，我就快活相应了，也是跟你一场。莫不成这些人意儿也没有了”。可唐僧不会念《松箍儿咒》，只好再答应饶他一次。

不久，白骨精又变成老公公前来。这次，孙悟空有一番心理斗争：“若要打他，又怕师父念那话儿咒语。不打杀他，他一时间抄空儿把师父捞了去，却不又费心劳力去救他？还打的是！就一棍子打杀他，师父念起那咒，常言道，虎毒不吃儿。凭着我巧言花语，嘴伶舌便，哄他一哄，好道也罢了。”

最终，对《紧箍咒》的畏惧，没有扛得住打妖怪的热情，孙悟空挥棒打死了白骨精，也把唐僧最后的一点耐心打得粉碎。

本来，唐僧虽然生气，可见到老公公化成粉红骷髅，也是吓了一跳，几乎就要原谅孙悟空。可是八戒说：“师父，他的手重棍凶，把人打死，只怕你念那话儿，故意变化这个模样，掩你的眼目哩！”唐僧果然耳软，又信了八戒，念起《紧箍咒》。

其实，不是唐僧耳朵软，而是他明白，孙悟空根本就没有把他放在眼里，这才会一而再，再而三地违背他的命令。孙悟空几次行凶，没有一次询问过他，事后更是强词夺理，用言语威胁，全无做徒弟的谦恭。

之后，无论孙悟空如何求情，唐僧坚决不原谅，最终，写下贬书，将孙悟空赶走。

整场纷争中，八戒煽风点火，沙和尚一言不发。本来，孙悟空之前对沙和尚有维护之恩，可是沙和尚明白，他一旦发言，不是得罪孙悟空，就是得罪猪八戒和唐僧。他一个新人，两边都得罪不起，只能沉默。

只是，有的事情可以沉默，有的事情却必须寸步不让。这个浅显的道理，到遭遇黄袍怪之后，沙僧才明白。到后来，孙悟空重回队伍后，沙僧与白龙马就加入了孙悟空阵营，而猪八戒和唐僧则结成了联盟。

第三十一节　悟空回归

整部《西游记》中，孙悟空与唐僧一共有三次大冲突。跳出五行山不久，孙悟空打杀六贼，被唐僧训斥，孙悟空一怒之下飞离，是第一次。因打杀白骨精，师徒矛盾爆发，唐僧写下贬书，孙悟空重回花果山，是第二次。

这第二次与第一次不同。前一次是孙悟空主动离开；第二次是唐僧强行驱逐。第一次，孙悟空自行回归；第二次，则是在猪八戒邀请下回归。

看原著“猪八戒义激猴王”一回，似乎孙悟空回归的功劳全部在猪八戒身上，仿佛没有猪八戒，孙悟空就不会回归取经团队一样。事情真的是这样吗？

当然不是。猪八戒前来相邀，只不过是给了孙悟空一个台阶。其实，早在猪八戒到来之前，孙悟空就已经想要回归。

因为，在怒气消散后，孙悟空便冷静下来，再度意识到了，取经才是他唯一的生存之道。

为何这么说呢？我们看看孙悟空离开取经队伍之后都做了些什么。

孙悟空被赶走后，心中悲伤。他来到东洋大海前，看烟波荡荡，海浪悠悠，潮水来时，巨浪滔天；潮水退时，天地静谧。

面对滔滔大海，孙悟空想起了很多。他想起了几年前一怒之下离开唐僧，也来到这东海和东海龙王之间的那一番谈话。孙悟空当然还记得张良为求大道，为黄石公三番五次捡鞋子的故事。只是，这一次，孙悟空没有脸面再去见老龙王了。

他也想继续为远大目标而奋斗，只是，这委屈他又能忍受几分？

孙悟空一路飞行，想了很多，感叹不已，最终说出口的，只有一句话："我不走此路者，已五百年矣！"

这一句话中，包含了多少沧桑、多少无奈！

孙悟空跨越东海，回到了东海之畔的花果山。昔日的花果山，有四万七千妖猴，有七十二洞妖王，数十万妖兵汇聚。即便是比起西天路上最牛的狮驼岭、狮驼国，那也毫不逊色。可如今呢？

孙悟空放眼望去，一片凄凉。漫山遍野的花草果林不见了，飞禽走兽不见了，就连昔日的巍峨山峰，都残破倒塌——整个花果山已经成为一片焦土。

孙悟空放声呼唤："孩儿们，我回来了！"悲怆的声音在山谷间久久回荡。许久，才从山坳中跳出那么七八个小猴子。他们见到孙悟空回来，都热泪盈眶："大圣爷爷，您今日终于来家了！"

孙悟空强作笑脸询问："你们因何不去玩耍，一个个都潜踪隐迹？"群猴一听，个个哭泣。

孙悟空一边和群猴聊天，一边派人通知水帘洞中的马流二元帅、奔芭二将军。当得知昔日四万七千妖猴，如今只剩下一千两百个时，孙悟空心中大感悲痛。

群猴纷纷诉说当年二郎神如何率领三千草头神，放一把大火烧毁花果山，大半猴子当场烧死。上万猴子躲在井里，钻在涧中，藏在铁板桥下，才保全了性命。可是因为是被神火烧山，凡被烧毁的地方，数百年后花果山依然寸草不生。没有了果实充饥，许多猴子被活活饿死。不得已，一半的猴子离开了花果山，另觅生路，如今死活不知；剩下的一半又连年遭遇猎人捕杀，死伤惨重。

大闹天宫时代的花果山群猴，虽然因为孙悟空大闹冥界，划掉了在生死簿上的名字，寿命期限很长，但是他们并非铜头铁脑，并非可以不吃不喝，在饥寒交迫之下，在刀枪符箓面前，还是会饿，还是会受伤，还是会死。

结果，五百年下来，花果山上活下来的猴子只剩下一千二百数了。

看着群猴愤怒而悲泣的脸，孙悟空很伤心。经过被压五百年之后，更有参加取经历练之后，孙悟空已经明白了许多事情。

造成群猴丧命的罪魁祸首不是二郎神，而是他孙悟空。若非他自命不凡，大闹龙宫、冥界，怎会引起天庭注意？若非他嫌弃官小，反出天庭，怎会有天兵围剿？若非他自封齐天大圣，自高自大，又怎会激怒玉皇大帝，派出二郎神灭杀群猴？他个人的力量再强大，面对天庭依然脆弱。

孙悟空好言安慰群猴，下令召集群猴，操练起来。后来，人类捕猎队上山时，孙悟空稍稍展示神通，当场就灭杀了一千多人。

孙悟空一脸得意地对群猴说，自从归顺唐僧，做了和尚，他每每劝我话道：“千日行善，善犹不足；一日行恶，恶自有余。真有此话！我跟着他，打杀几个妖精，他就怪我行凶。今日来家，却结果了这许多猎户。”

之后，他下令群猴把人类尸体的衣服剥了，让群猴穿了御寒，把人类的弓箭拿了，让群猴操练御敌。

那些来自傲来国的猎人们，此前杀了上万只猴子，如今被猴子所杀，也算是因果循环。且他们没有任何背景，三界仙人没有任何人会为猎人之死出头，他们死了也就死了。

孙悟空被唐僧压抑多时的一口怨气，在杀了一千多人后，终于得到了缓解。

出了怨气的孙悟空，没有再滥杀无辜。他向龙王借来了仙水，把花果山洗干净了，再让群猴重新栽种各种树木。短短时间，花果山重新变得郁郁葱葱，美丽异常。

只是，孙悟空明白，只要他继续待在花果山，脱离取经队伍，他与花果山群猴的厄运就会继续。

经过东海龙王的提醒，经过数年来自己的亲身体悟，孙悟空已经明白，没有强大后台的支持，即便他的单体神通再强大，也无法和三界势力抗衡。

他重回取经队伍，乃是迟早的事情。

后来，猪八戒到了。猪八戒以黄袍怪辱骂孙悟空为由，请孙悟空回归队伍。孙悟空“果然中计”，答应前往。

临行前，群猴拉扯住孙悟空，哭泣道：“大圣爷爷，你往那里去？带挈我们耍子几年也好。”猴群明白，有孙悟空在，花果山才有安宁。一旦孙悟空走了，他们在明天是死是活，还未可知。

孙悟空说："小的们，你说那里话！我保唐僧的这桩事，天上地下，都晓得孙悟空是唐僧的徒弟。他倒不是赶我回来，倒是教我来家看看，送我来家自在耍子。如今只因这件事，你们却都要仔细看守家业，依时插柳栽松，毋得废坠，待我还去保唐僧，取经回东土。功成之后，仍回来与你们共乐天真。"

孙悟空这番话半真半假。真的是，孙悟空保护唐僧取经之事在三界之中已经传开。若孙悟空修成正果，自然功德圆满，人人敬畏；若中途退出，取经失败，不但佛派要追究罪责，天庭也极有可能重翻旧账，对他万里追杀。假的是，孙悟空说是唐僧让他回家看看，玩几天就重新归队。

孙悟空成佛之后会不会回来花果山呢？其实，到那时候他回不回来都没有关系了。可以想见，有斗战胜佛在，凡人也好，仙人也好，谁敢再惹花果山呢？

第三十二节　唐僧变化

在赶走孙悟空时，唐僧讲出的话很绝情。

孙悟空请唐僧高坐，受他一拜。唐僧嘟嘟囔囔着不肯："我是个好和尚，不受你歹人的礼。"因唐僧背转身，孙悟空只好拔了三根毫毛，变成三个自己，从四个方向同时叩拜。唐僧没有法子，才受了孙悟空一拜。

临别，孙悟空交代沙僧，若是遇到妖怪，可提他孙悟空的大名。西方那些妖怪，听闻他孙悟空的手段，必然不敢伤害师父。孙悟空乃一片爱师之心，唐僧却说：“我是个好和尚，不提你这歹人的名字，你回去吧。”

无论孙悟空如何哀求，唐僧坚决与其划清界限：你是歹人，我是好和尚。既然唐僧的态度如此坚决，后来为何又重新接纳孙悟空归队呢？

首先，经历了黄袍怪一难，唐僧深刻认识到了，取经团队可以没有猪八戒，可以没有沙和尚，但不能没有孙悟空。

当从波月洞逃出，与八戒、沙僧连夜赶路三百里，来到宝象国时，唐僧对孙悟空的存在价值还没有清醒的认识。

宝象国乃是取经必经之地，宝象国王听闻唐僧乃上邦高僧，恳请帮助其降伏妖怪。唐僧便吩咐两个徒弟去降妖。在唐僧看来，此前八戒、沙僧双战黄袍怪，那也是不分胜败。若两个徒弟肯下死力，未必就不能降伏妖怪。

恰巧八戒也是个爱吹牛的主儿。国王询问八戒有什么神通，他摇身一变，变成一个八九丈高大的巨人。将军询问：身体一再变高，何时是个尽头？八戒狂气上来，嘴上也没个把门的，说：“看风，东风犹可，西风也将就；若是南风起，把青天也拱个大窟窿！”

结果，国王亲自敬酒，请八戒帮忙降伏妖怪，救回三公主。见八戒豪气勃发，沙僧也有些动心，再加上唐僧开口允可，沙僧也腾云而去。

可惜，八戒牛皮吹得很大气，打斗起来却全不卖力。沙僧也一样，脓包得很。本来，他们的本领和黄袍怪当在伯仲之间，可是，出于种种顾忌，两人齐齐选择了藏拙。仅仅八九个回合，猪八戒和沙僧一个逃跑、一个被抓，二人展现出来的实力草包得让人愤怒。

等到黄袍怪变身翩翩公子来到宝象国，唐僧见到后，吓得失魂落魄。他立刻明白，八戒、沙僧根本就不是妖怪的对手。他手下虽有三个徒弟，可能打的其实只有一个。

其次，被黄袍怪变成猛虎后，唐僧被众人诬为妖怪，受尽了凌辱。

黄袍怪果然法力强大，竟然念了咒语，将一口水朝唐僧喷去，唐僧的真身就被隐去。在世人眼中，眼前只有一只斑斓猛虎。

当时，许多武将校尉一拥而上，用刀剑来杀猛虎。幸亏有六丁六甲、值日功曹、五方揭谛、护驾伽蓝等仙神保佑，唐僧才免于受伤。

虽然身体没有受伤，但是心灵受到的创伤让唐僧不得不反思。

世人很容易被法术制造的幻象轻易蒙骗。此前，大徒弟孙悟空曾经说过："老孙在水帘洞里做妖魔时，若想人肉吃，便是这等。或变金银，或变庄台，或变醉人，或变女色。有那等痴心的，爱上我，我就迷他到洞里，尽意随心。"

妖怪为何能将人迷惑？因为人有种种贪欲。贪财的人会被金银迷惑，好色的人会被美女迷惑。即便眼前的是妖邪幻化，只要心中有贪念，也不愿意承认。昔日，唐僧不正是贪恋白骨精的美色，才几次三番阻止孙悟空打杀美少妇吗？后来，白骨精又变成老婆婆、老公公，当时唐僧其实对他们的身份也有怀疑——老婆婆自称是美少妇之母，孙悟空说："那女子十八岁，这老妇有八十岁，怎么六十多岁还生产？断乎是个假的！"——孙悟空的理由简单而明白，可是，唐僧为了维护师父的尊严，为了打压傲上的孙悟空，硬是不承认。

最终，唐僧赶走了孙悟空。与其说是因为孙悟空打死了三个凡人，不如说是唐僧要强调：我才是取经团队第一人。

如今，唐僧自己也被变成妖怪，遭到世人的污蔑。他亲眼所见，亲耳所听，才切身知道了妖法的强大，知道了人心的冷暖。在这种情况下，孙悟空还能主动回归，他除了感激涕零，哪还能再刁难什么？

最后，取经团队的主事人排名确认了。

之前的种种矛盾，归根到底，是取经团队内部的权力斗争。唐僧要和孙悟空争夺谁才是取经团队主事人。唐僧联手八戒，击败了孙悟空。可是，事实证明，有孙悟空，取经团队才能前行；没有孙悟空，取经团队寸步难行。

孙悟空是个重感情的人，却也是个精明的猴子。他被师父赶走时，特别交代了沙僧一句话："贤弟，你是个好人，却只要留心防着八戒言语，途中更要仔细。"

在当时，孙悟空和沙僧的关系是不是很好呢？他心中是不是真的认为沙僧是个好人呢？不是。

在八戒邀请下，孙悟空来到波月洞。听公主说，大师兄回来了，沙僧大喜走出洞来说："哥哥，你真是从天而降也！万乞救我一救！"明明是人家三公主百花羞把沙僧放了，可是沙僧只是感谢孙悟空，对百花羞只字不提。为什么？

此前，百花羞趁着黄袍怪不在，几次提出要放走沙和尚，但沙僧都不答应，一副要把牢底坐穿的模样。其实，是沙僧明白，一旦出去，就要再次面对黄袍怪。以自己低微的本领（取经路上，他表现出的战斗力基本稳定在真实实力的十分之一左右），即便逃走，也要被黄袍怪抓回。于是，他干脆不逃，静观其变。现在，既然孙悟空已回来了，那情况就不一样了。于是，沙僧只求孙悟空搭救。

孙悟空说：“你这个沙尼！师父念《紧箍咒》，可肯替我方便一声？都弄嘴施展！要保师父，如何不走西方路，却在这里蹲什么？”

孙悟空的话，有两层含义。其一，沙僧为人冷漠奸猾，当初唐僧念了几十遍《紧箍咒》，沙僧一直沉默，没有为孙悟空说过一句话，求过一次情。在《西游记》原著里，情况确实就是如此。其二，对沙僧表现出的糟糕战斗力心存怀疑。孙悟空根本不相信，八戒、沙僧只是八九个回合就会被黄袍怪击败。

沙僧很尴尬，说：“哥哥，不必说了，君子既往不咎。我等是个败军之将，不可语勇，救我救儿罢！”沙僧很会说话，知道面对孙悟空硬的不行软的行。只要说几句好话，孙悟空马上就心软。果然，孙悟空叫他上来，沙僧才跳上云头。

明明沙僧和孙悟空的关系一般，被赶走时，孙悟空为何要说沙僧是好人呢？

因为孙悟空明白，自己一走，取经团队内部最大的矛盾，就变成了猪八戒和沙僧之间的话语权争斗了。

果然，沙僧不甘寂寞，几次抹黑猪八戒，意图争取取经团队二把手的位子。

八戒跑去化斋，时间久了，唐僧有点不耐烦，就问沙僧。沙僧说："师父，你还不晓得哩，他见这西方上人家斋僧的多，他肚子又大，他管你？只等他吃饱了才来哩。"沙僧没有任何凭据就说八戒目无师父，只顾自己。唐僧听后，居然信了。

当时八戒在哪里呢？走路累了，躲在一个草堆里睡大觉呢。

后来，宝象国王请八戒出手降妖，八戒先去了。沙僧放下酒杯对唐僧说："师父！那黄袍怪拿住你时，我两个与他交战，只战个手平。今二哥独去，恐战不过他。"沙僧说的是事实，当时确实是两人联手才与黄袍怪打个平手。但是，他说这话选择的时机颇有问题。沙僧为何不在猪八戒在场的时候说，而选择八戒走了后单独对师父说呢？只因他此时说，既显得不想和师兄争功，为人谦恭低调，又显得关心师兄，为人善良仁慈。

果然，唐僧一听立刻表态："正是，徒弟啊，你可去与他帮帮功。"唐僧对老沙的"团结友爱"非常满意。

可是，一战之下，沙僧才意识到，自己的综合实力还是和八戒有差距的。猪八戒太奸猾了，竟然假托解手，一个人溜走了。既然八戒开溜，沙僧自然也不想出力，干脆就让黄袍怪把自己给抓了。

而孙悟空见到变成老虎的唐僧时，反应也很奇怪。他没有悲伤流泪，反倒是笑道："师父啊，你是个好和尚，怎么弄出这般个恶模样来也？你怪我行凶作恶，赶我回去，你要一心向善，怎么一旦弄出个这等嘴脸？"孙悟空明摆着是奚落唐僧，强调自己的正确。

猪八戒恳求孙悟空救救师父，孙悟空不肯。直到猪八戒和沙僧再三表示，自己无能，破不了妖怪的法术，孙悟空才答应救唐僧。本来，在皇宫里随便弄口水，他就可以破除幻术，但他却让猪八戒“飞星去驿中，取了行李马匹，将紫金钵盂取出，盛水半盂”。而这前后来回，耽误了好长时间。

孙悟空这么做，就是想让唐僧看清楚，没有我，取经路上寸步难行。

等到幻术解除，唐僧第一句话就说：“贤徒，亏了你也，亏了你也！这一去，早诣西方，径回东土，奏唐王，你的功劳第一。”唐僧明明白白地说出，取经第一功，乃孙悟空。

听到唐僧如此承诺，孙悟空笑了。

于是，取经团队最新的话语权排名出台了。

团队一把手：孙悟空；

团队二把手：唐僧；

团队三把手：猪八戒；

团队四把手：沙僧；

团队老末：白龙马。

第三十三节　强人下界

谁是取经路上背景最深的妖魔？多数人会想到红孩儿和大鹏雕。

红孩儿确实很牛。

孙悟空因为要打探消息，用金箍棒打出一大帮山神、土地来。据山神、土地说，红孩儿所在的山号称六百里钻号山（又名号山），共有三十名山神、三十名土地。他们此前就已经知道孙悟空等人来了，大家想要一起前来拜见，可总是会聚不齐。

为何会聚不齐呢？因为红孩儿经常要使唤山神、土地，让他们轮番负责烧火、看门、夜间打更、喊口号。没有当值的山神、土地也不能闲着，要负责给红孩儿抓捕野兽，逢年过节还要给红孩儿送礼物。山神、土地本来就法力低微，香火稀薄，再被红孩儿一敲诈，个个都变成了穷光蛋。

于是，孙悟空见到的山神、土地，就都是“披一片，挂一片，裩无裆，裤无口的”。这六十位冥府仙人，硬生生被红孩儿折腾成了乞丐。

大鹏雕也很牛。

别的妖怪，顶破天不过是占山为王。可那大鹏雕在五百年前，把一个国家上至国王百官、下至黎民百姓全部吞吃了，然后建立了一个妖怪王国，自己当起了国王。

师徒四人来到狮驼国，看到守卫城门的是狼妖，统领兵马的是虎怪，鹿精负责传送公文，狐狸精负责递送消息，摇旗擂鼓的都是妖怪，巡更逛街的都是山精。

神通广大、见多识广的孙悟空，看到这满城妖怪的景象，也不禁吓了一跳。

大鹏雕勉强算是如来的娘舅，红孩儿则与太上老君有关联。这两位牛人，在多数读者心中，就是取经路上背景最深的妖魔。

其实，还有两位魔王展现出的能量，远远比红孩儿和大鹏雕还强大。其背景之深，即便是三界至尊、天庭之主的玉皇大帝，也不敢招惹。

那魔王便是平顶山的金角、银角大王。

各种影视剧中，不但金角、银角大王被忽视，连他们的主子太上老君也被当成了打酱油的角色。可是，经过我们此前许多章节的介绍，读者们已经知道，太上老君乃是天地第一仙，三界公认的道祖。不但道派，还包括佛派，继承的都是太上老君衣钵。

我们看看原著，就会明白金角、银角两妖牛成了什么样子。

当唐僧师徒来到平顶山前，有一个值日功曹化身樵夫前来报讯。

樵夫厉声高叫："那西进的长老！暂停片时。我有一言奉告，此山有一伙毒魔狠怪，专吃你东来西去的人哩。"唐僧一听，吓得魂飞魄散。

孙悟空让唐僧宽心，上前打探，让樵夫把妖怪的情况介绍介绍："烦大哥老实说说，我好着山神、土地递解他起身。"所谓"递解"，就是递送押解。孙悟空自诩齐天大圣，黑白两道通吃，根本没有把平顶山的妖魔放在眼中。

樵夫听了，哈哈大笑说："你原来是个风和尚。"孙悟空恼了，说自己没疯，说的都是老实话。

樵夫说："你说是老实，便怎敢说把他递解起身？"孙悟空见樵夫一味偏向妖怪，就训斥说："莫不是与他有亲？不亲必邻，不邻必友。”孙悟空也有经验，这种前来报讯的人绝非凡人，必然是天上的仙神。前几次不就是太白金星前来报信的吗？可从来没有哪个报信的仙神，敢如此鄙视孙悟空、看重妖魔的。

樵夫不怕孙悟空，愤愤然说：“你这个风泼和尚，忒没道理。我倒是好意，特来报与你们，教你们走路时，早晚间防备，你倒转赖在我身上。且莫说我不晓得妖魔出处，就晓得啊，你敢把他怎么的递解？解往何处？”

孙悟空慨然说：“若是天魔，解与玉皇大帝；若是土魔，解与土府。西方的归佛，东方的归圣。北方的解与真武，南方的解与火德。是蛟精解与海主，是鬼祟解与阎王。各有地头方向。我老孙到处里人熟，发一张批文，把他连夜解着飞跑。”

孙悟空说得本都是实情。三界之间，各有专属。人间有五方五老，故东西南北中各处的妖魔，都有归属。即便是天上的魔、地下的鬼，也有玉皇大帝与阎罗看管。何况，三界仙佛，那都是孙悟空的老熟人。再加上有观音、如来罩着，孙悟空还有什么可担心的呢？

没想到樵夫呵呵冷笑，嘲讽孙悟空见识少，没见过如平顶山这等狠毒的妖魔。然后，樵夫细细讲起金角、银角如何狠毒。

狠毒之一：画影图形，要捉和尚；

狠毒之二：抄名访姓，要吃唐僧。

为何这两项算是狠毒呢？

从后文猪八戒遭遇银角、看到画影图形可知，影神图上乃是唐僧师徒四人。在取经第三年，唐僧在流沙河收了沙和尚，此后经历了四圣试禅心、五庄观与镇元子火拼、三打白骨精、波月洞遇黄袍怪，如今已经是第五个年头。可见，金角、银角关注唐僧取经团队由来已久。

从长安出发，取经团队虽也遭遇了不少强大妖魔，可还没有一个妖魔是指名道姓要捉拿唐朝和尚的。因为野妖的消息不灵通，而天上下来的妖又都知道取经团队的真实背景，根本不敢动唐僧。要知道，唐僧取经乃是玉皇大帝批准、如来推动、观音主持的三界头号大行动。

即便是黄袍怪，明明抓到了唐僧，却借故将唐僧放走。若非唐僧派八戒、沙僧二度前来，背信弃义在先，黄袍怪根本不会再去招惹唐僧。

可是金角、银角全然不惧，只因他们的后台是三界第一仙太上老君。

后来，孙悟空和银角大王斗法，被银角用搬山移海之法，连用三座大山压到头顶。孙悟空移动不得半分，不禁泪如雨下。看到齐天大圣没有办法了，吓坏了暗中保护唐僧一行的五方揭谛、护驾伽蓝等仙。

诸多护法神中，金头揭谛是玉皇大帝指派的专职人员，日夜都在唐僧身边，其他仙人则是轮班。金头揭谛把附近的山神、土地叫来，训问是谁把山借给妖魔来压孙悟空的。山神、土地连忙告饶，解释说：“那魔神通广大，法术高强，念动真言咒语，拘唤我等在他洞里，一日一个轮流当值哩！”

原来，这金角、银角才是《西游记》中第一个把山神、土地当仆从使唤的妖魔。并且，我们要注意，红孩儿手下的山神、土地对红孩儿满是怨言，可金角、银角手下的山神、土地，恭恭敬敬，心甘情愿被其驱使。

听了这话，孙悟空心惊肉跳，仰天大叫说："苍天，苍天！自那混沌初分，天开地辟，花果山生了我，我也曾遍访明师，传授长生秘诀。想我那随风变化，伏虎降龙，大闹天宫，名称大圣，更不曾把山神、土地欺心使唤。今日这个妖魔无状，怎敢把山神、土地唤为奴仆，替他轮流当值？天啊！既生老孙，怎么又生此辈？"

事实上，不但是山神、土地都接受金角、银角驱使，就连值日功曹、五方揭谛也站在金角、银角一边。

原因很简单，他们这些毛神，都够不上资格联络太上老君，他们若能通过金角、银角讨好太上老君，得到一粒金丹，那可就是莫大的福缘了。

我们品味一下此前变作樵夫的值日功曹的话，在他看来，阎罗、真武、观音、如来都不敢惹金角、银角，即便是三界至尊、天庭之主玉皇大帝，也不方便出面干涉金角、银角的事情。

正因如此，孙悟空说要押解金角、银角时，值日功曹才会冷笑。

第三十四节　大败猴哥

取经路上，孙悟空遇到许多强大的对手。比如三界最强风魔黄风怪、地仙之祖镇元大仙、号称祖师爷爷的九灵元圣、一圈套尽天下兵器的青牛精、一袋装入三界仙佛的黄眉怪，还有如来的娘舅大鹏雕，等等。可是，这些仙人、妖怪尽管强大，但没有一人能对孙悟空造成实质性伤害。

黄风怪一口三昧神风，吹得天昏地暗，也把孙悟空吹得眼睛酸痛，但黄风怪本人也不敢深入神风追杀孙悟空。镇元大仙的袖里乾坤很牛，可除了能装孙悟空，也不能把孙悟空怎样。九灵元圣是一口咬住孙悟空，青牛精是收掉金箍棒，黄眉怪是用人种袋装，大鹏雕是靠着飞行速度擒拿，但是，这些对手只能困住孙悟空，无一人能奈何孙悟空。

可以说，孙悟空之所以强大，并非倚仗什么上品天仙诀，也不是地煞七十二变。他真正能纵横三界，靠的是两样大神通。

一是有三界第三的飞行速度——第一当然是顺手就创造出筋斗云的菩提祖师，即太上老君，第二则是金翅大鹏雕。

二是铜头铁脑，任凭天雷劈、神火烧、神兵砍都毫发无伤的金刚不坏之体。

也就是说，逃得快，打不死，才是孙悟空最牛的资本。

在整部《西游记》中，孙悟空面临死亡的威胁仅仅有一处，即平顶山遭遇金角、银角大王。

在很多人心目中，金角、银角大王乃是小角色，认为他们不就是太上老君身边烧火的童子吗？有什么了不起的？

对，金角、银角的确只是太上老君身边的烧火童子，可就是这区区童子，就把孙悟空弄得七窍流血，差点一命呜呼。孙悟空百般挣扎，都无法脱困，从来天不怕、地不怕的孙悟空，破天荒地泪如雨下，哭鼻子了。

我们结合原著，来看看金角、银角到底有多牛。之前我们讲过，评价一个仙人有多强，可以分成四个部分：武艺、神通、法宝、法力。

多数妖怪因为修仙的等级不够，并没有领悟法力，孙悟空如此，金角、银角也如此。

那我们就比较前三项。

第一项，武艺。

猪八戒第二次巡山，正巧撞上银角大王。猪八戒拿九齿钉钯，银角大王持七星剑，两人大战二十回合，八戒落于下风。后来，八戒发狠，拼了老命来打。见到八戒不断吆喝、口水喷溅的可怕模样，银角不愿意打了，一挥手，让群妖上前缠斗。书中说八戒奋起神威，怎奈那些小妖本领都不弱。八戒只能逃跑，不料被一小妖绊倒，摔了个狗啃屎。

银角大王轻松将猪八戒擒获。

不过，结合前面猪八戒、沙僧双战黄袍怪，八九回合时一逃跑、一被抓的丢脸战绩看，猪八戒实力不咋的，至少是在不拼命的时候很逊。

因此，或许有读者会认为，与八戒大战二十回合处于上风，并不能体现银角大王如何强大。

在擒获猪八戒后，银角大王再度出手，擒拿唐僧。在困住孙悟空后，银角大王与沙僧大战。沙僧拿降妖宝杖拼命拦挡，结果八九回合实在抵挡不过，被银角大王打翻在地，顺手夹在胳肢窝下带回洞府。

若说赢得沙僧也算不得本事，我们再看银角大王与孙悟空交手的情况如何。

后来，孙悟空变成压龙洞的九尾妖狐，骗走了几件宝贝，又来门口叫战。银角大王披挂整齐，和孙悟空正面交手。

银角大王出场时，原著中有诗歌一首："头戴凤盔欺腊雪，身披战甲幌镔铁。腰间带是蟒龙筋，粉皮靴厮梅花摺。颜如灌口活真君，貌比巨灵无二别。七星宝剑手中擎，怒气冲霄威烈烈。"

我们看作者对银角大王的描绘，银角大王样貌就如灌口二郎显圣真君，又如李天王帐下先锋巨灵神，模样威武，根本就没有一点妖魔气。

银角大王与孙悟空大战三十回合不分胜败。

书中写孙悟空心中暗想道："这泼怪倒也架得住老孙的铁棒！我已得了他三件宝贝，却这般苦苦的与他厮杀，可不误了我的工夫？不若拿葫芦或净瓶装他去，多少是好。不好，不好！常言道：物随主便。倘若我叫他不答应，却又不误了事业？且使幌金绳扣头罢。"

从孙悟空的内心独白可知，银角大王与孙悟空的三十回合大战，丝毫不落下风。正因为在武艺方面赢不了银角大王，孙悟空才会想用法宝。没想到孙悟空机关算尽，虽用出幌金绳，但依然被银角大王念个《松绳咒》，反被人家擒拿，法宝也全部被银角大王取回了。

后来，银角大王被孙悟空用计装入红葫芦中后，金角大王出战。

金角大王与孙悟空一共交战两次。第一次，二人大战二十回合，不分胜败。第二次，大战三四十个回合，金角大王落败。

不过，是金角大王真的打不过孙悟空吗？不是的。

当时，金角大王乍听到银角大王被孙悟空装进了红葫芦，已经有死无生，心中大痛，泪如雨下。出战后，二十回合不分胜败。孙悟空使出分身法，召唤出千百孙行者，金角大王则使出芭蕉扇，一把火差点把孙悟空的毫毛烧光。孙悟空收回毫毛，念动避火诀，飞入莲花洞中，把洞中的一两百小妖杀了个干干净净。

金角大王得胜回洞后，发现尸横遍野，大怒之下大悲。他借酒浇愁，喝得大醉，然后呼呼睡去。

此时，孙悟空变身小妖来到洞中，把金角大王身边的几样宝贝都偷走了。因偷芭蕉扇时，扇柄弄到了金角大王头发。金角惊醒，又与孙悟空大战。

当时，金角大王手中的五件法宝，只剩下手中的兵器七星剑，但于惊慌悲痛之下，金角大王能和孙悟空再斗上三四十回合，已经相当了得。他所以败走，也是因为天色已晚，他逃亡别处搬救兵去了。

总之，金角、银角大王就武艺来说，当在八戒、沙僧之上，不在孙悟空之下。

第二项，神通。

孙悟空的神通有这样几种：地煞变（七十二变）、自创的分身法、八卦炉中炼就的火眼金睛。

网络上有一种说法流传很广，说什么天罡变是斡旋造化、颠倒阴阳、移星换斗、回天返日、唤雨呼风，等等；地煞变是通幽、驱神、担山、禁水、借风、布雾、祈晴、祷雨，等等。这种说法源自网络，翻遍原著，都找不到一处这样的论述。

其实，天罡变和地煞变皆是变化之术。比如孙悟空曾经变蜜蜂，变苍蝇，变美女，变道士，变小鱼。天罡变和地煞变应当是西游世界各种变化之术中比较高明的一种。

一般的变化之术在变化之后即拥有该事物的特征，比如，变成了鱼，不掐避水诀，就能在水中自由行走，但是变成小鱼时，神通也会尽失。这也可以解释，为何洪江口龙王变成鱼后，竟然被人类抓捕，有了生命危险。

可是，天罡变、地煞变没有这个限制。即便变化之术被破，也可以自由切换。

至于猪八戒的变化不如孙悟空精巧，那是猪八戒偷懒，神通操练不熟的缘故。

银角大王与孙悟空相比，变化之术毫不逊色。他曾变成道士，混入取经队伍。唐僧、沙僧一点都没有发觉。孙悟空用出火眼金睛，才发现是妖怪——孙悟空的火眼金睛切切实实有破幻功能。那么，孙悟空为何也曾被一些仙妖的变化之术骗到呢？只因火眼金睛需要孙悟空运用灵力，刻意使用，才能发挥功效。

作为太上老君的童子，银角大王同样具有破幻神通，并且比孙悟空的火眼金睛更加高级。因为太上老君当初需要避人耳目，才选择用非常手段，强加火眼金睛给孙悟空。而对银角大王就不必了。

书中说，看远处祥云缥缈，瑞气盘旋，银角大王说："唐僧来了。"众妖都问在哪里。银角大王说："好人头上祥云照顶，恶人头上黑气冲天。那唐僧原是金蝉长老临凡，十世修行的好人，所以有这祥云缥缈。"可是，众妖都说看不见，银角大王就伸手指去："那不是?"

银角大王没有施展任何灵力，便直接看到众人看不到的景象，这不是火眼金睛的加强版是什么?

并且，很奇怪的是，银角大王对唐僧祥云所在处连指了三指，唐僧就打了三个寒噤，心神不宁。看来，银角这破幻眼竟然还带有一定的攻击性。

之后，银角大王把群妖解散，独自化作受伤道士，混入取经团队。他指名要孙悟空来背，孙悟空对其很不屑，想借机把道士（妖怪）扔下山摔死。

最精彩的一幕出现了，看原著：

"这大圣正算计要掼，原来那怪就知道了。且会遣山，就使一个移山倒海的法术，就在行者背上捻诀，念动真言，把一座须弥山遣在空中，劈头来压行者。这大圣慌的把头偏一偏，压在左肩背上，笑道：'我的儿，你使什么重身法来压老孙哩?这个倒也不怕，只是正担好挑，偏担儿难挨。'那魔道：'一座山压他不住!'却又念咒语，把一座峨眉山遣在空中来压。行者又把头偏一偏，压在右肩背上。看他挑着两座大山，飞星来赶师父！那魔头把真言念动，将一座泰山遣在空中，劈头压住行者。那大圣力软筋麻，遭逢他这泰山下顶之法，只压得三尸神咋，七窍喷红。"

当年如来手掌化为五行山，压住孙悟空，孙悟空差点就挣扎了出来，是如来又派人加了一道六字真言法帖，才将躁动的孙悟空镇住。

可如今，银角大王一招移山倒海之术，用三座大山就压得孙悟空三尸神炸开（内脏出血），七窍喷红（口、眼、耳、鼻全部出血）。

第三项，法宝。

金角、银角大王有五样法宝：红葫芦、玉净瓶、幌金绳、芭蕉扇、七星剑。这几样法宝名气太大了，以至于在《火影忍者》中都有出现。

这五种法宝各有妙用。

红葫芦和玉净瓶都可以声控装人，无论对方神通如何强大，只要应声，必定被装。

幌金绳一旦被用出使出，就会自动追踪敌人，然后将其捆绑，无论对方如何挣扎，都不能脱离。也就是说，幌金绳有克制神通的妙用，被绑住者无论变大变小，都无法逃脱。

芭蕉扇可以煽出三昧真火，火力强大，孙悟空必须念动避火诀，才能避免烧伤，而其毫毛一旦脱离身体，就会被烧毁。

七星剑是兵器，可以对敌金箍棒。

金角、银角大王的这些法宝也有瑕疵。比如，红葫芦、玉净瓶必须别人应声才能装入；幌金绳则不够坚固，被孙悟空用金箍棒化成的钻子就钻断；芭蕉扇的火虽然强大，但念动避火诀就可以逃脱；七星剑只是兵器，没有其他附带神通。

虽然这些法宝有瑕疵，但已经算是西游世界第一流的法宝了，其初次使用时，孙悟空每次都中招。若非孙悟空有金刚不坏之身，取经大业早就结束了。

从此也可以看出，太上老君让孙悟空顺利偷吃五葫芦金丹有多么重要。正是太上老君亲手制造了孙悟空这金刚不坏的存在。

可是，让三界大仙都无可奈何的孙悟空，金角、银角却可以使用移山倒海的神通轻松将其弄死。金角、银角不过是太上老君烧火的童子，顶多算个记名弟子而已，若是太上老君亲自出手，将会如何？

菩提祖师与孙悟空分别时说：“你这去，定生不良。凭你怎么惹祸行凶，却不许说是我的徒弟，你说出半个字来，我就知之，把你这猢狲剥皮锉骨，将神魂贬在九幽之处，教你万劫不得翻身！”

菩提祖师绝非夸口，他本就是太上老君化身，以他三界第一仙的莫大法力，要想弄死孙悟空，法子实在多得很。

第三十五节　老君用意

太上老君为何要派金角、银角下凡？这似乎不是一个问题，因为在原著中写得清清楚楚。

孙悟空用红葫芦和玉净瓶把金角、银角收服后，白得了五件宝贝，欢天喜地，准备出发。没想到前方走出一个盲人老汉，拦住唐僧，讨要宝贝。孙悟空运用火眼金睛，认出是太上老君，“慌忙上前施礼”，询问太上老君来意。看孙悟空知道自己身份，太上老君就飞上天空，现出本相，把宝贝和金角、银角的来历对其说明。孙悟空生气地说：“你这老官儿，着实无礼，纵放家属为邪，该问个钤束不严的罪名。”太上老君回答道：“不干我事，不可错怪了人。此乃海上菩萨问我借了三次，送他在此托化妖魔，看你师徒可有真心往西去也。”

原来，是观音菩萨向太上老君求了三次，太上老君才答应让金角、银角下凡为妖，以此来试探唐僧师徒，充作八十一难。

观音菩萨为何要向各处仙佛求借弟子或宠物，让他们下凡为妖呢？因为如来早有旨意，若是让取经人轻易到了西天，取得了真经，那必定不会珍惜。为此，取经人必须步步该灾，处处有难，总计该有灾难九九八十一处。可是，以孙悟空的神通，取经路上那些草根妖怪根本对其构不成什么威胁，因此，观音为了达成如来的法旨，才出此对策，请天上仙佛出手相助。

观音请来的妖怪，自然早早得到了密令，只能稍稍为难唐僧，切不可害了唐僧性命。正因如此，西天路上唐僧虽然屡次遇上凶险，可都化险为夷。因为，上头定好了剧本，下面的演员若是轻易改动，只能死路一条。

本来，观音邀请太上老君派出金角、银角，乃是两人之间的私密，太上老君为何要说给孙悟空听呢？

一来，是洗刷自己管教不严、放纵下属的罪名。并非太上老君我管教不严，是观音求了我三次，我才放人。太上老君所为，乃是配合观音，配合佛派的工作呢！

二来，离间孙悟空和观音的关系。

在取经队伍中，孙悟空与猪八戒、沙和尚二人有很大不同。他们两个都各怀鬼胎，对于取经的成败并不关心。因为，若取经成功，他们可以成为佛派要人；若取经不成功，也算完成了颠覆任务，同样会得到各自主子的嘉奖。

而孙悟空是迫切希望取经成功的，因为他别无出路。对于将他从五行山下救出，让他加入取经团队的观音，孙悟空很感激。此前，猪八戒前往花果山游说，孙悟空之所以答应出山，一个重要原因就是看在观音的面子上。

当然，孙悟空对观音也不无怨言。此前，骗孙悟空戴上了金箍，孙悟空一怒之下，就要打上南海。此刻，听到太上老君说是观音请人来刻意刁难取经团队，孙悟空暴怒，口中虽然没明说，心中却在大骂："这菩萨也老大惫懒！当时解脱老孙，教保唐僧西去取经。我说路途艰涩难行，他曾许我到急难处亲来相救。如今反使精邪掯害，语言不的！"

应该说，太上老君这轻松的一句话，杀伤力极大。这样一来，孙悟空与观音之间的芥蒂正式生成。

再看太上老君的原话，为何是观音求取了三次，太上老君才答应？

太上老君所以答应派出金角、银角，观音的邀请只是表面原因。而要不要派金角、银角，主要在于是否能为太上老君争取到最大的利益。

其实，太上老君派出金角、银角有利无弊。

看孙悟空把两人装入葫芦、净瓶，都化成了脓水，太上老君挥手之间就让两位童子复活了。可见，以太上老君的背景和手段，完全可以保证两位童子无事。可以说，派出童子，并无后顾之忧。

那么，利在何处？

我们说，太上老君制造、训练孙悟空的最终目的是让孙悟空打入佛派高层，使得太上老君重新掌握对佛派的控制权。这件事情必须做得极为隐秘，不能让如来发觉，更不能让元始天尊、灵宝天尊、玉皇大帝发觉孙悟空与太上老君的关系。但是，太上老君又必须在适当的时机提点一下孙悟空，让孙悟空切莫忘记了根本、忘记了师父。

经历大闹天宫后，孙悟空一度以为自己已经看明白了三界格局。孙悟空知道了如来很厉害，因为一招如来神掌，就压得他五百年动弹不得。但是，孙悟空还没有看明白太上老君对他的照顾。取经路上，他一直认为是自己凭着本事和运气，才得以偷到金丹、逃出八卦炉的。

当初，孙悟空与太上老君曾经打过一个照面，他劈手一推，就把太上老君推得跌了一跤。由此，孙悟空是不大看得起这位三界道祖太上老君的。

于是，太上老君有必要教训一下孙悟空，同时也向三界高手们展示下自己的实力——我一个童子就可以轻松弄死孙悟空。

只是，太上老君的这个目的没有完全达成。银角大王与孙悟空交手，一度占据上风，甚至是占据绝对的上风。可是，最终还是孙悟空偷到了宝贝，抓获了金角、银角，获得了最终的胜利。

当看明白拦住去路的盲人老汉竟然是太上老君化身时，孙悟空“慌忙上前施礼”，从这一点可证明，太上老君在孙悟空心中的地位已大大提升。可是，他下一句开口，还是“你这老官儿，着实无礼”，依然是一副狂妄嘴脸。我们想想，不要说对如来，孙悟空就是面对观音，敢这么无礼吗?

正因为觉得给孙悟空的教训不够，太上老君在返回天庭不久，就派出自己的坐骑青牛精，拿着自己的顶级法宝金刚琢下界了。在后来的那一次交手中，孙悟空请来了西天十八罗汉，十八罗汉扔出佛派秘宝金丹砂，依然对付不了青牛精。十八罗汉亲口告诉孙悟空，出发前，如来就已经知道此行必定无功，让孙悟空去天庭找寻太上老君解救。

经历了青牛精的大挫败后，孙悟空真正认识到，太上老君才是三界第一人。在原著第八十六回，孙悟空告诉南山大王说：“李太上老君乃开天辟地之祖，尚坐于太清之右；佛如来是治世之尊，还坐于大鹏之下。”到那时，在孙悟空心中，太上老君才超越如来，成为他心中最牛的人。

第三十六节　金角使命

金角、银角大王的故事，在《西游记》中整整用了四回来写。在这个故事中，可惊可诧的事情很多。比如，金角和银角的种种举动都显得非常怪异。

唐僧师徒走入平顶山范围时，值日功曹化身樵夫前去提醒。功曹说："我有一言奉告，此山有一伙毒魔狠怪，专吃你东来西去的人哩。"孙悟空上前询问，功曹强调说："洞里有两个魔头，他画影图形，要捉和尚；抄名访姓，要吃唐僧。你若别处来的还好，但犯了一个唐字儿，莫想去得去得！"

在功曹的话语中，金角、银角早就公开宣布，要捉拿东来西去的和尚，并且指名道姓，要抓唐僧。

可是，后文在正面写到金角、银角时，有一番这样的对话——

金角正坐，对银角说："兄弟，我们多少时不巡山了？"银角道："有半个月了。"金角道："兄弟，你今日与我去巡巡。"银角道："今日巡山怎的？"金角道："你不知，近闻得东土唐朝差个御弟唐僧往西方拜佛，一行四众，叫作孙行者、猪八戒、沙和尚，连马五口。你看他在那处，与我把他拿来。"银角道："我们要吃人，那里不捞几个？这和尚到得那里，让他去罢。"金角道："你不晓得。我当年出天界，尝闻得人言：唐僧乃金蝉长老临凡，十世修行的好人，一点元阳未泄，有人吃他肉，延寿长生哩。"银角道："若是吃了他肉就可以延寿长生，我们打什么坐，立什么功，炼什么龙与虎，配什么雌与雄？只该吃他去了。等我去拿他来。"金角道："兄弟，你有些性急，且莫忙着。你若走出门，不管好歹，但是和尚就拿将来，假如不是唐僧，却也不当人子？我记得他的模样，曾将他师徒画了一个影，图了一个形，你可拿去。但遇着和尚，以此照验照验。"又将某人是某名字，一一说了。银角得了图像，知道姓名，即出洞，点起三十名小怪，便来山上巡逻。

大家仔细品味以上这番对话，发现奇怪之处了吗？

奇怪之一：抓捕唐僧的理由。

金角让银角巡山，表面理由是半个月不巡山了，真实理由是抓唐僧。银角表示，即便要吃人，也不必招惹唐僧一伙。后文银角初见孙悟空，见孙悟空舞动金箍棒，招式精奇，大为吃惊地说：“几年间闻说孙行者，今日才知话不虚传果是真。”可见，银角是在几年前就听说过孙悟空厉害的——书中并没有交代金角、银角在平顶山为妖有多久。若按照天上时间来算，孙悟空五百年前大闹天宫，不过是一年前的事情。

也就是说，金角、银角在袭击唐僧队伍前，就已经知道孙悟空相当了得，是个强劲的对手。那为何明知对方扎手，还要去硬碰硬呢？

金角给了一个绝妙的答案——有人说吃唐僧肉延寿长生哩。银角大王一听，立刻心动了。

金角和银角都是太上老君身边的烧火童子，虽然经常在太上老君身边，可是并没有资格品尝蟠桃、仙丹。从后文孙悟空上天向太上老君借九转还魂丹，我们就可以知道，在正常情况下，太上老君的金丹都收藏在隐秘处，甚至是随身携带，别人在寻常时根本没机会触碰。

金角、银角提高修炼等级，延寿长生，走的乃是与万千仙人同样的路子：辛辛苦苦打坐，修炼龙虎，匹配雌雄。这样的方法辛苦异常，却效果平平。

正因如此，银角立刻要去抓唐僧。

奇怪之二：值日功曹与金角的神秘联系。

银角虽然是金角的兄弟，此前却从未听金角讲过吃唐僧肉可以延寿。银角都不知道的事情，为何值日功曹却知道？

唯一的可能，是值日功曹和金角早有联系。

值日功曹乃是玉皇大帝亲自选定的保护取经队伍的重要仙人，官品虽然不高，却可以随时上天叩见玉皇大帝，汇报取经团队的最新情况。可是，玉皇大帝亲自选定的值日功曹，竟然和金角还有单线联系，这要让玉皇大帝知道，那还了得！

由此看来，太上老君对各处势力的渗透，已经到了一个惊人的地步。

取经，乃是最近五百年三界最为关注的事情。值日功曹身处权力斗争的旋涡中心，没有吊死在玉皇大帝一棵树上，而是选择明面上为玉皇大帝服务，暗地里为太上老君服务。这也可以理解。

奇怪之三：怂恿银角抓唐僧却提醒不要伤及无辜。

银角一听吃唐僧肉可长生，立刻就要出发，金角却提醒道："若抓的不是唐僧，却也不当人子。"从此可见，金角行动的目的只是唐僧，他不想伤及无辜。

为此，金角拿出了准备已久的影神图，还一一告诉银角谁是谁。

金角和银角同时下凡，同吃同住。而唐僧取经收三个徒弟，乃是最近几年的事情。猪八戒和沙和尚与其当年的长相也已经发生了巨大的变化。按照道理，银角不知道这些事情，金角也应该不知道。

唯一的可能，是金角单独从太上老君处得知了消息，或者，正是那值日功曹将唐僧师徒最新的图像提供给了太上老君，提供给了金角。

奇怪之四：金角对取经团队的态度前后矛盾。

银角抓到猪八戒后，得意回洞，金角却说："兄弟，错拿了，这个和尚没用。"他的意思是，吃八戒不长生，吃唐僧才长生呢！

银角出去再战，以移山倒海之术困住孙悟空，轻松击败沙僧，将沙僧、唐僧抓来洞中。按照道理，银角应该算是完成了任务，大家应该开吃吧。可是，金角说："贤弟呀，又错拿来了也。"银角恼了，说："你说拿唐僧的。"金角很尴尬，忙解释说："是便就是唐僧，只是还不曾拿住那有手段的孙行者。须是拿住他，才好吃唐僧哩！"

之后，金角夸赞孙悟空如何了得，千万不可提前吃唐僧，把银角气得半死。等到银角说，孙悟空已被压，无法来捣乱时，金角还是不准备吃唐僧，并且他故意自己不出面，而让两个从来没使用过法宝的精细鬼、伶俐虫拿了红葫芦和玉净瓶去装孙悟空。

类似的事情还发生了好几次。每次银角要吃唐僧，金角总是找理由阻止。一开始，是银角提议不招惹唐僧师徒，后来却变成金角恳请银角放出唐僧，远离孙悟空。

如此荒唐矛盾的原因只有一个，金角单独接受了太上老君的密令，即可以为难一下取经团队，但不可伤了唐僧性命，否则严惩不贷。

正因金角知道太上老君的真实意图，而银角不知，金角的态度才会截然不同。其实，金角也只是知道太上老君的一个意图，即考验取经团队，让孙悟空见识一下太上老君派的厉害，而不知道太上老君其实还有另一个意图。

据金角说，吃唐僧肉可延寿的消息来自天界。天界中的谁呢？他没有细说，也不敢细说。我估计，是来自太上老君。

之前，奎木狼在玉皇大帝的指示下，借助白骨精散布吃唐僧肉可得长生的消息。只是，白骨精法力低微，散布消息的能力太差。而太上老君从值日功曹口中得到了这个消息后，大喜。他虽然希望唐僧、孙悟空、猪八戒完成取经，顺利打入佛派内部，但是并不想让他们轻易获得成功。

以如来的智慧，怎么可能不怀疑孙悟空与猪八戒、沙和尚的来历及目的？即便是对唐僧，如来也从没有真正放心过。要想让如来信任孙悟空、猪八戒，就必须遮掩耳目，就必须让孙悟空、猪八戒做出一些与太上老君派势不两立的举动。

于是，太上老君派金角、银角下凡后，抓捕唐僧，大战孙悟空。其间，他们把吃唐僧肉的消息告诉众小妖，告诉给附近山头的许多妖怪。他们的平顶山，独霸附近六百里地盘，再加上九尾狐狸、狐狸阿七的地盘，可以说，方圆千里的妖怪都知道了这个消息。

即便有一部分妖怪被孙悟空杀掉，可残余妖怪势必会把这个消息传播得更远、更真实。

刻意制造与孙悟空、猪八戒，与取经团队的矛盾，让孙悟空、猪八戒真正打入佛派，才是太上老君派金角、银角下凡的真正目的。

第三十七节　妖怪有情

西游世界拥有最多妖兵的魔王，当属美猴王孙悟空与狮驼岭的狮、象、鹏三魔王。这两家麾下都拥有四万七千小妖。只是，相比孙悟空的猴兵，狮驼岭三魔王的妖兵实在不禁打。孙悟空来到狮驼洞前，变成小钻风撒了一个谎，就有一万多妖兵丢盔弃甲，叛主逃离。之后，见到三魔都向孙悟空低头，又跑了一万多妖兵。等到狮驼国三魔被如来带走，剩下的两万妖兵全部逃走了。孙悟空回城接唐僧时，狮驼国竟然已经空空如也，一个妖怪也没有。

群妖为何会逃跑？一个重要的原因是三魔薄情寡义，御下严苛，他们即便是兄弟之间，也只是互相利用。

当然，西游群妖并非个个如此。有那么一群妖精，堪称重情重义，大难当前时，无一妖退缩。即便是遇上无法战胜的强敌，迎战注定死路一条的情况下，也没有一个妖怪临阵脱逃。他们不求同年同月同日生，但求同年同月同日死。这伙妖怪，真的做到了。

他们究竟是谁？他们就是平顶山莲花洞的群妖们。平顶山妖王金角、银角大王是如何对待部下小妖的呢？

银角大王亲眼看到孙悟空施展棍棒，武艺精通，不禁慨叹齐天大圣名不虚传。此时，有小妖说：“大王，你没手段，等我们着几个去报大大王，教他点起本洞大小兵来，摆开阵势，合力齐心，怕他走了那里去!”

大家看看小妖这番话，毫无隐晦地批评银角大王太窝囊，还略带威胁地说，你不行的话早说，我们好去找金角大王出手。

按照常理，属下即便进谏，也要力求语言委婉，以免徒惹一身臊。可是，莲花洞的小妖竟敢直言不讳。这说明了什么?

这说明了莲花洞妖王与妖兵之间的感情很好。虽然银角大王是二大王，神通广大，却和众小妖之间一直亲如兄弟，不分彼此。正因为兵将之间感情融洽，小妖才会说得如此直白。

果然，银角大王丝毫没有反感，反倒安慰小妖，不用担心，自己自有妙计对付孙悟空。

后来，精细鬼和伶俐虫奉命拿着红葫芦和玉净瓶去装孙悟空，不想却被孙悟空以“装天术”哄走了宝贝。两个小妖犯下大罪，若在别的妖洞中注定死路一条。可是，在莲花洞中呢?

他们两个也想过逃走，可是想想平日两位大王对待下属的态度，就选择了留下。当他们如实说出被骗经历后，金角大王暴跳如雷说：“罢了，罢了！这就是孙行者假妆神仙骗哄去了！那猴头神通广大，处处人熟，不知那个毛神放他出来，骗去宝贝!”大家看金角大王，法宝丢失后，并没有把责任推到下属身上，而是客观冷静地分析出问题的真正所在。

精细鬼、伶俐虫的下场如何呢?原文二人道：“造化，造化!打也不曾打，骂也不曾骂，却就饶了。”

两个小妖慨叹自己命好。其实，不是他们命好，是金角、银角大王通情达理。孙悟空何等强大？或抢或骗，无论怎样他都可以取走宝贝。归罪于两个小妖，反倒是无能的表现。

正因为金角、银角大王对部下一直很宽容、重情义，部下小妖才会对他们忠心耿耿。

金角、银角大王对亲戚如何呢？

从一百四五十年前下界之后，金角、银角大王就占据了平顶山莲花洞。

金角、银角大王两位妖王虽然背景深厚、实力强劲，却并非倚仗权势、为非作歹的妖。

别看他把山神、土地唤去点卯，但那不是奴役。他二人乃是太上老君的烧火童子下凡，也算是太上老君记名弟子。三界仙人大多数都是三清门下。那些山神、土地不过是鬼仙一流，辈分极低、法力又弱。让他们去当值，是看得起他们。保不齐有一些距离莲花洞很远的山神、土地，还会羡慕平顶山的山神、土地呢！这么一个亲近太上老君门人的机会，多么难得啊！人家随便丢出一颗丹药，就可以让这些只有五百年寿命的鬼仙突破等级。

压龙山距离平顶山不过是十五六里。山前压龙洞中住着一位修行了千年的九尾妖狐，麾下有两百来个女兵。山后是妖狐的弟弟狐阿七大王，麾下也有两百妖兵。

为了巩固自己的势力，金角、银角大王认下了九尾妖狐做干娘，狐阿七做干舅，并且献上自己的法宝幌金绳做抵押。双方虽然是以利益开始，但年深日久，也有了感情。

得知干娘被打死，金角、银角大王都很悲愤。之后，金角大王前往压龙洞借兵，洞中女怪也是全部出洞，无一退缩。就连山后的狐阿七，也主动带了两百妖兵前来助战。

当时，他们已经知道九尾妖狐是被孙悟空一棒子打死的，即孙悟空的神通远远在他们之上，此去凶多吉少，甚至有死无生，可他们依然选择了为洞主、为外甥去战、去死。

最为感人的，是金角、银角大王之间的兄弟情谊。

当初下界时，只有金角大王暗中接受了太上老君密令，知道下界的真实意图。于是，当唐僧师徒经过时，金角大王特意派银角大王去巡山，抓捕唐僧，挑战孙悟空。

后来，孙悟空骗走了红葫芦、玉净瓶，盗走了幌金绳，甚至公然变作九尾狐狸，来莲花洞中秀了一把。金角大王有些担心了。

他劝说银角大王："兄弟，把唐僧与沙僧、八戒、白马、行李都送还那孙行者，闭了是非之门罢。"

他能这么说，很不容易。金角大王可是冒着抗命的风险暗示银角大王。可惜，银角大王与孙悟空的几次交手，都以胜利告终，他根本没有意识到孙悟空真正实力的可怕。

孙悟空被装入红葫芦，啥事没有。而银角大王被装入红葫芦，却化成了清水。

得知银角大王死了，金角大王如何反应呢？

本来，金角大王的任务已经完成，完全可以把唐僧、八戒、沙僧礼送出洞，与孙悟空罢战谈和。若是如此，虽然银角大王身死，金角大王却可以保留一条性命。

可是，一贯冷静与理智的金角大王，面对银角大王的死，竟然选择了一条最为危险的路——与孙悟空死磕到底。

“（金角）骨软筋麻，扑的跌倒在地，放声大哭道：‘贤弟呀！我和你私离上界，转托尘凡，指望同享荣华，永为山洞之主。怎知为这和尚伤了你的性命，断吾手足之情！’满洞群妖，一齐痛哭。”

在大哭之后，金角大王点起全洞三百多名小妖，全部出洞，迎战孙悟空。

所谓进退得失，所谓利害关系，全部被金角大王抛在脑后。在他看来，一切都比不了为兄弟银角大王报仇来得痛快。

莲花洞三百小妖的表现亦让人尊敬。

金角大王与孙悟空大战二十回合不分胜败，之后，他下令全军出击。三百小妖把孙悟空打得心慌意乱。孙悟空只能施展身外化身术，与群妖对战。一二百小妖，当场被打死。

见情况不妙，金角大王施展芭蕉扇，弄出了熊熊烈火。孙悟空收了毫毛，不退反进，捏避火诀进入了莲花洞中。

洞中哀声一片。在与身外化身的小悟空大战中，有一百多个妖怪断手断脚，受了重伤，但是一个都没逃走，一个都没有躺下，全部都忍着疼痛，站立在洞口等候金角大王，随时准备听从命令，再次参战。

孙悟空真身到来后，犹如虎入羊群，一小会儿工夫，就把一百多伤兵全部打死。

大火退去，金角大王回到洞中，看到尸横遍野，他再次大哭，连连说：“苦哉，痛哉！”当时莲花洞妖兵已经死绝，金角大王已是孤零零一个，他完全没有必要作秀。他是真的为部下群妖丧命难过。连作者都忍不住写了几句诗，表达对这妖王的同情。

诗云："鸿雁失群情切切，妖兵绝族泪潺潺。何时孽满开愆锁，返本还原上御关？"

最终，莲花洞的三百妖兵全部战死。狐阿七被猪八戒一钉钯筑了九个窟窿。四五百狐狸兵兴冲冲而来，大部分被孙悟空兄弟扫荡。金角大王最终也被孙悟空装入了玉净瓶。

第三十八节　自创神通

所谓"吃一堑，长一智"，在经历无数磨难、挫折之后，人总该学会成长。孙悟空也如是。

从离开菩提祖师之日起，孙悟空的本领并非一成不变。所谓"师傅领进门，修行在个人"。菩提祖师只是传给了他三篇口诀，究竟能够参悟到何种地步，要看孙悟空的缘法。

菩提祖师是没有教孙悟空武艺（棍法）的，也没有教孙悟空撒豆成兵、扎草成龙的本领，可是，孙悟空在见过混世魔王的刀法后，听说扎草成龙的名目后，立刻就领悟了其中奥妙。用孙悟空自己的话来说，叫作"我如今一窍通，百窍通，我也会弄"。

赫赫有名的身外化身，也是他的自行领悟。原文说："不知这猴王自从了道之后，身上有八万四千毛羽，根根能变，应物随心。"

孙悟空的身外化身极为强大，不但可以变出八万四千个猴子，并且“那些小猴，眼乖会跳，刀来砍不着，枪去不能伤”，分身的神通虽然比不上孙悟空本人，但也有一定的防御力、杀伤力。

在经过平顶山时，孙悟空更是发挥奇思妙想，开创了一项超级大神通，“威力”之大，连玉皇大帝也瞠目结舌，自叹不如。

这项大神通，叫作装天术。

事情的经过是这样的。

银角大王把孙悟空压在三座大山下面后，得意扬扬，抓了唐僧和沙僧回到洞府。之后，银角大王派出两个小妖，拿着两件宝贝——红葫芦和玉净瓶去装孙悟空。

红葫芦和玉净瓶，一个是太上老君装仙丹的，一个是太上老君装水的，都是声控型法宝。只要将口对准来人，高喊其名，无论对方说什么，只要应声，就会被吸入法宝中，不消一时三刻，就被法宝融化成一摊血水。

两个小妖的名字很奇葩，一个叫精细鬼，一个叫伶俐虫，是莲花洞中数一数二的聪明妖怪。结果，愣是被孙悟空一通忽悠，乖乖把手中法宝送上。

当时，被压在山下的孙悟空在山神的救助下，移走了三座大山，却看见不远处有宝光闪动，便化成一个道士，前去观看。

金角、银角大王本都是道童，手下小妖对道士也非常信任。孙悟空一询问，小妖就把自己的来意告知。孙悟空大喜，以他的本领当然可以打死小妖，抢走宝贝，可是，孙悟空一向爱面子，觉得以大欺小，会坏了自己的名头，就换了个方法。

小妖自豪地说："我这两件宝贝，每一个可装千人哩。"孙悟空立刻说："你这装人的，何足稀罕？我这葫芦，连天都装在里面哩！"两个小妖不信，说耳听为虚，眼见为实，要求孙悟空示范一下。

孙悟空怎么装天的呢？

他低头念咒，招来护驾诸仙，让他们禀告玉皇大帝。玉皇大帝让哪吒借来真武大帝的黑旗，把日月星辰遮蔽一个小时。结果，精细鬼、伶俐虫大惊，一路求着孙悟空把装天的葫芦和他们的葫芦交换。孙悟空假装不肯，二妖着急忙慌地提出以二换一，孙悟空才不情不愿地将法宝送上。

这就是孙悟空的装天术。

大家或许会说，这不就是一个骗术吗？哪里是什么大神通，还让玉皇大帝都自叹不如？

对，这是一个骗术，可绝非简单的骗术。孙悟空能创出"装天术"，对于他自身来说，是一个绝大的进步。

大闹天宫时候的孙悟空，看起来勇悍无敌，其实只是一介莽夫。被压在五行山下的五百年间，孙悟空思考了很多，也领悟了一些。而取经路上遭遇的种种挫败，更让孙悟空认识到，很多时候决定胜败的不是拳头，而是大脑。

斗智是比斗力更高的境界。

孙悟空的智慧，在实战当中迅速提高。看孙悟空对护驾诸仙的吩咐，就非常高明。他说："即去与我奏上玉皇大帝，说老孙皈依正果，保唐僧去西天取经，路阻高山，师逢苦厄。妖魔那宝，吾欲诱他换之，万千拜上，将天借与老孙装闭半个时辰，以助成功。若道半声不肯，即上灵霄殿，动起刀兵！”

孙悟空这话有三层含义：

其一，我这次要装天不是为了个人利益，而是为了取经大业。而取经行动，是玉皇大帝批准、如来主持、观音执行的官方大行动。

其二，妖怪的宝贝厉害，唯有此法才可以换来宝贝，轻松结束战斗。

其三，若不答应，自己就要打上灵霄殿。

孙悟空这番话软硬兼施，不卑不亢，既提出了自己的要求，也丝毫不损齐天大圣的威名。

当然，这主要是因为护驾诸仙不过都是小仙，身份低微，远不如孙悟空。要是真的面对玉皇大帝，孙悟空自然会客客气气。

作为三界之主的玉皇大帝，对孙悟空装天的要求很不满意。玉皇大帝说：“这泼猴头，出言无状，前者观音来说，放了他保护唐僧，朕这里又差五方揭谛、四值功曹，轮流护持，如今又借天装，天可装乎？”

玉皇大帝这番话，有两层意思：

其一，孙悟空还没有资格和自己平等对话，更没有资格提什么要求。

其二，此前，玉皇大帝已经答应派出五方揭谛、四值功曹保护，已经给了如来、观音面子，但如今孙悟空竟然要装天，实在太过分！

因为天乃玉皇大帝之天，地乃玉皇大帝之地。何况，天何其大，如何装？孙悟空纯粹一派胡言！

幸亏哪吒三太子出班求情，说明天也可以装——只需借来真武大帝的黑旗，把日月星辰屏蔽，使得下界孙悟空所在地区一片漆黑即可。

哪吒为何要帮孙悟空？

一方面，哪吒和孙悟空是不打不相识，两人英雄惜英雄；另一方面，在《西游记》中，哪吒自杀后，如来以莲藕重塑其身，哪吒与佛派是有利害关系的。因此，取经团队的孙悟空有需求时，哪吒才会尽量满足。

孙悟空以假葫芦换到了真宝贝后，还特意拿出一文钱，让小妖买来纸笔，要写个合同文书。小妖问为什么。孙悟空解释说："你将这两件装人的宝贝换了我一件装天的宝贝，恐人心不平，向后去日久年深，有甚反悔不便，故写此各执为照。"按照孙悟空的说法，自己一件装天法宝换了两件寻常法宝，实在大大吃亏。但人心总是贪婪，多年之后若二妖后人反悔，来找麻烦，自己也可以合同为凭证。

孙悟空这招以退为进用得极好，连两小妖心中最后的怀疑也给打消了。他们当场发誓，自己绝不反悔，谁反悔谁一年四季都发瘟。孙悟空得了大便宜，自然也学着发誓，换了宝贝之后，便立刻飞走。

孙悟空巧用人脉，妙施手段，以退为进，攻取人心，轻而易举地换得了两件法宝，为最后的胜利奠定了坚实基础。

从此之后，孙悟空战略战术方面的手段越用越纯熟，在“真假美猴王”一回时达到一个高峰，最终完成了从战士到法师、从棋子到棋手的转变。

第三十九节　八戒巡山

西天取经，一路上共遭逢九九八十一难。其实，唐僧师徒面对的不仅是各路妖魔，还有内部的重重矛盾。这种斗争虽不用性命相搏，但论手腕心机，还在与妖魔争斗之上。

八戒巡山，就是团队内部斗争的一次重要体现。

黄袍怪故事中，孙悟空通过降伏黄袍怪，解救变成虎精的唐僧，成功坐上了团队第一把交椅。迫于形势，唐僧选择了退让，八戒选择了低头。可是，一时的让步，并不代表最终的臣服。作为师父的唐僧，怎能长期忍受徒弟的教训？至于猪八戒，更与孙悟空势不两立，只要有机会，他就会在师父面前煽风点火，怂恿唐僧念动《紧箍咒》。

所谓“江山易改，本性难移”，唐僧与猪八戒对孙悟空的不满，与孙悟空本人的跋扈与专断有着直接的关系。

离开宝象国后，唐僧见一路鸟语花香，满地芳菲，与徒弟们一路赏花闲聊，好不快哉。走着走着，忽然看到前方有一座高山挡路，唐僧说：“徒弟们仔细，前遇山高，恐有虎狼阻挡。”唐僧此话，不过是提醒大家。以师父的身份，他本就有提醒监督之责。谁料想孙悟空却狠狠顶了一句：“师父，出家人莫说在家话。你记得那乌巢和尚的《多心经》云‘心无挂碍；无挂碍，方无恐怖，远离颠倒梦想’之言？但只是‘扫除心上垢，洗净耳边尘。不受苦中苦，难为人上人’。你莫生忧虑，但有老孙，就是塌下天来，可保无事。怕什么虎狼!”

孙悟空乃天生石猴，本性通灵，当初乌巢禅师传唐僧《多心经》，师徒三人都是听了的，可八戒生性懒散，不愿学习；唐僧凡心极重，难悟玄机；反倒是孙悟空早早明悟大道，一路上没少指点师父。

孙悟空话说得很不客气，可是在理。唐僧心中虽不舒服，可是不得发作。于是他吟诗一首，表明心迹：“当年奉旨出长安，只忆西来拜佛颜。舍利国中金象彩，浮屠塔里玉毫斑。寻穷天下无名水，历遍人间不到山。逐逐烟波重迭迭，几时能彀此身闲?”

唐僧的意思是，自己也不是害怕虎狼，也不是吃不了苦，实在是从长安出发，一路取经，一晃已经是第四年了。当初与太宗皇帝分别时，皇帝问几时回归，唐僧说：“只在三年，径回上国。”可如今已经是第四年，却才走了三分之一路程。如此想想，也难怪唐僧慨叹。

取经自然是大功绩，唐僧也从来没说要放弃取经，可是，喊口号时很轻松，具体做时很难受。看唐僧所言，走遍天下无名恶水，遍历人迹罕至荒山，日子过得实在是清苦、寂寞，也难怪唐僧有点疲倦，想要清闲清闲。

猪八戒和沙僧一句话不说，唯独孙悟空呵呵冷笑说：“师要身闲，有何难事？若功成之后，万缘都罢，诸法皆空。那时节，自然而然，却不是身闲也？”

类似的话还有许多。几乎每次降妖捉怪之前，唐僧必有慨叹，而孙悟空总以高高在上的口气训斥唐僧。因孙悟空说的多是大道理，唐僧无法反驳。只是，无法反驳未必就是真心顺服，只要有机会，彼此之间的矛盾就会爆发。

走入平顶山，值日功曹化身樵夫前来报信。孙悟空了解到真相后，本该前去巡山探路。因为按照职责分工，降妖除魔乃是孙悟空的责任。可这次，孙悟空却让八戒出手。理由呢？原文说：“且等我照顾八戒一照顾，先着他出头与那怪打一仗看。若是打得过他，就算他一功；若是没手段，被怪拿去，等老孙再去救他不迟，却好显我本事出名。”

孙悟空明白，自己身为徒弟，凭什么训斥师父呢？只因取经路上没他不行，而八戒、沙僧越是无能，越可以显得他重要。因此，孙悟空就是要让八戒出丑，以敲打八戒，敲打唐僧。

可是，唐僧一贯偏袒八戒——一方面是八戒嘴甜，另一方面是有共同的对手。如何让唐僧答应，把本该是孙悟空的任务交给猪八戒呢？

孙悟空也会耍手段了。他先是装哭，引得八戒心慌，说要散伙。唐僧询问为何哭泣，孙悟空说，刚才值日功曹传话，前方妖魔狠毒，自己虽然不惧，可是，即便身是铁，能打几根钉？唐僧马上说，兵法也说，寡不敌众。可是，我们团队不是还有八戒、沙僧吗？这两人也任凭你调度。

孙悟空等的就是唐僧这句话，他轻轻松松就争取到了团队的指挥权。

孙悟空叫出八戒，让他做一道单选题。两个选项，一是看师父，二是巡山。八戒很精明，没有直接选，而是细细询问，看师父是怎的，巡山又是怎的。做事情之前，先把后路想好，这就是八戒的小聪明处。

按照常理，自然是看师父轻松。可是，孙悟空说："看师父啊，师父去出恭，你伺候；师父要走路，你扶持；师父要吃斋，你化斋。若他饿了些儿，你该打；黄了些儿脸皮，你该打；瘦了些儿形骸，你该打。"八戒一听，连忙摆手。他不说自己怕麻烦，不说自己不愿意伺候师父，而说："假若教我去乡下化斋，他这西方路上，不识我是取经的和尚，只道是那山里走出来的一个半壮不壮的健猪，伙上许多人，叉钯扫帚，把老猪围倒，拿家去宰了，腌着过年，这个却不就遭瘟了？"——不知道大家是怎么看这番话的，我是每次看到这段都忍不住哈哈大笑。这猪八戒，你说是聪明呢，还是傻呢？

只要面对一丁点儿的苦难，猪八戒就会想方设法逃避。只是，他说得也太夸张了，以他天蓬元帅的神通，又怎么会被几个凡人抓了、腌了过年？

唐僧听了，沉默。他心中想必对猪八戒很不满吧！

孙悟空却不说破，他本就是要让八戒巡山。他告诉八戒，巡山很简单，只要打听这山是什么山，山上有什么洞，洞中有多少妖怪就行。猪八戒大喜，雄赳赳气昂昂地踏上大道，进入深山。

见猪八戒走了，孙悟空嘻嘻冷笑，没想到激怒了一旁的唐僧。唐僧大骂说："你这个泼猴！兄弟们全无爱怜之意，常怀嫉妒之心。你做出这样獐智，巧言令色，撮弄他去什么巡山，却又在这里笑他！"

唐僧骂得很重，说孙悟空一点不关心师弟性命安危，就知道耍心眼、玩手段。

我们看了前后文可以明白，孙悟空是耍了心眼，可猪八戒不也偷奸耍滑吗？顶多不过是半斤八两。何况，以往每一次遭遇危险，不都是孙悟空巡山吗？如今，孙悟空让猪八戒巡一次山，唐僧为何如此生气？

只因唐僧身在局外，对孙悟空为猪八戒设套看得一清二楚。从前面的装哭，到后面做选择题，都是孙悟空在耍手段。而当初，孙悟空明知观音、文殊等菩萨变身四位妇人诱试唐僧，孙悟空就是不提醒、不说破，差点把唐僧坑死。事情虽然过去了一段日子，可以唐僧的小肚鸡肠，怎么可能忘记。

还有，黄风岭前被抓，五庄观中被抓，乃至孙悟空降伏黄袍怪后故意拖延不救唐僧，这点点滴滴，唐僧可都记得清楚。即便当初一时没有想明白，时间一久，他也琢磨清楚了。

正因看清了孙悟空想通过打压八戒来操控自己，唐僧才会暴怒。

孙悟空看师父生气，只好解释说，并非嘲笑师弟，而是料定猪八戒巡山必定偷懒。唐僧不信，孙悟空就变成一个小虫，跟随猪八戒而去。

孙悟空果然还是最了解猪八戒的，正如猪八戒最了解孙悟空一样。猪八戒走了没多远，就钻到草丛中睡觉了。孙悟空变个啄木鸟去啄八戒。孙悟空够狠，一啄八戒嘴上就一个血窟窿。八戒摸了一把，手上都是血。八戒无奈，只能走路。闲走了一段路，八戒开始想回去怎么交差。他瞎编说，此山叫作石头山，山里有个石头洞，门内有三层，若问门上钉子有多少，就说心忙记不得了。

孙悟空听得发笑，提前走了。他把这一切告诉唐僧时，唐僧依然不信。等到猪八戒回来一一说出，正全如孙悟空所言，唐僧才不得不信。

孙悟空借机发难说："我把你个馕糠的夯货！这般要紧的所在，教你去巡山，你却去睡觉！不是啄木虫叮你醒来，你还在那里睡哩。及叮醒，又编这样大谎，可不误了大事？你快伸过孤拐来，打五棍记心！"

孙悟空强调，此次巡山任务重大，可是猪八戒玩忽职守，有辱师命。为此，要打五棍子以示惩罚。

猪八戒也知道自己犯错，不敢争辩，只是一味讨饶："那个哭丧棒重，擦一擦儿皮塌，挽一挽儿筋伤，若打五下，就是死了！"孙悟空最是个吃软不吃硬的主，听八戒服软，就说："一遭便打三棍罢。"猪八戒却一棍子也不想挨，他知道向孙悟空告饶没用，就一把拉扯住唐僧，请师父为自己求情。

唐僧听了说："悟空说你编谎，我还不信。今果如此，其实该打。但如今过山少人使唤，悟空，你且饶他，待过了山再打罢。"

唐僧这话也说得高明，先确定猪八戒的罪名，说他撒谎怠工，确实该打，但是又指出，如今妖魔厉害，正是需要人手的时候，万一三棍子下去打残了呢？最终，唐僧端出师父的架子，宣布审判结果：暂且饶他，过了山再打。

唐僧没说不打，而是说过了山再打。既然如此，孙悟空当然不好再追究。至于过了山之后，则已时过境迁，事情便不了了之了。

第四十节　师徒论道

要修行，首先要有功法。这个唐僧师徒四人共同修行的功法，叫作《多心经》。

唐僧师徒正是因为共同修行《多心经》，其修行都有大幅度提高。当然，提高最明显的，是唐僧。

或许有人会说，唐僧的佛法造诣不是已经很高了吗？

唐僧自幼出家，饱读佛典。昔日太宗召集天下一千两百名高僧，举办超大型法会，唐僧（陈玄奘）乃是主讲人。由此可见，唐僧的佛法造诣应当是相当高深的。

若和大唐那些凡僧比，唐僧的造诣自然高很多。但若和真正有道行的人比，唐僧还差许多。

唐僧在大唐所学的佛经可以安抚心灵，对于修仙成佛却毫无用处。

唐僧真正的修行，是从乌巢禅师传授《多心经》开始的。

诵念几天《多心经》后，原著说："那长老常念常存，一点灵光自透。"大家看看，这《多心经》多么神奇，只是念了几遍，唐僧就开始起了变化。

但是，唐僧的修行速度很慢很慢。连常年跟随在唐僧身边，被迫听了无数遍《多心经》的孙悟空、猪八戒、沙僧，对修行的领悟都大大超过了唐僧。

在乌鸡国宝林寺的一晚，唐僧的修行有了一个小小的突破。那一天，明月当空，月光皎洁，唐僧对月吟诵了一首诗，表达自己的思乡之情。

孙悟空却说："师父啊，你只知月色光华，心怀故里，更不知月中之意，乃先天法象之规绳也……"那长老听说，一时解悟，明彻真言，满心欢喜，称谢了悟空。

沙僧在旁笑道："师兄此言虽当，只说的是弦前属阳，弦后属阴，阴中阳半，得水之金；更不道：水火相搀各有缘，全凭土母配如然。三家同会无争竞，水在长江月在天。"唐僧闻言，亦开茅塞。正是理明一窍通千窍，说破无生即是仙。

从三人的对话中可以清晰地看到，孙悟空掌握了修行的根本，沙僧也对修行有独特感悟，唐僧虽然修行浅薄，但也有所触动。唯独八戒对三人的谈话一点不感冒，嘟嘟囔囔地说："师父，莫听乱讲，误了睡觉！"

那么，八戒是不是在修行上全无进步呢？不是的。他也吟诵了一首诗，其中四句说："缺之不久又团圆，似我生来不十全。他都伶俐修来福，我自痴愚积下缘。”

原来，守拙、保持本真就是猪八戒的修行之道。

几乎在每一个降妖除魔故事前，原著都会写一段师徒议论的故事。那些故事既表现出师徒之间的矛盾冲突，推进了故事情节，又展示了师徒四人各自的修行认识。

降伏红孩儿后，唐僧师徒前行，听到前面有水声，唐僧大吃一惊，询问悟空哪里有水声——唐僧被妖精抓怕了，一看到有高山、大河就担心有妖怪——当然，他的担心绝非多余，妖怪是一定会有的，但他的担心必然是无用的。

孙悟空听了，先不管有没有听到水声，就把师父狠狠训斥了一顿：“老师父，你把那《多心经》又忘了也？你忘了‘无眼耳鼻舌身意’。我等出家人，眼不视色，耳不听声，鼻不嗅香，舌不尝味，身不知寒暑，意不存妄想——如此谓之祛褪六贼。你如今为求经，念念在意，怕妖魔不肯舍身，要斋吃动舌，喜香甜嗅鼻，闻声音惊耳，睹事物凝眸，招来这六贼纷纷，怎生得西天见佛？”

孙悟空这话说得非常高明。所谓“功到自然成”，与其整天担心忧虑，不如脚踏实地；只要辛勤付出，自然瓜熟蒂落。

猪八戒还不服，埋怨妖怪太多，一千年也走不到灵山。沙僧却说：“哥，你和我一般，拙口钝腮，不要惹大哥热擦。且只捱肩磨担，终须有日成功也。”

沙僧的话，是只问付出，不问结果，或者说，只要付出，自有结果。

从此可见，师徒四人的修行领悟，孙悟空第一，沙僧第二，唐僧第三，猪八戒第四。

那么，唐僧师徒成了正果后，会不会变得更厉害？

我的理解是，会。因为他们一路上不仅降妖捉怪，也在修行，并且修行有很大长进。此前，孙悟空、猪八戒、沙僧等人修行的都是单纯的道门功法，在修行了《多心经》之后，已经兼容佛、道，实力必然大幅提升。尤其是孙悟空，之前修行道派天仙诀，十年即修成天仙。取经路上他又修行佛派《多心经》十余年，一旦大成，孙悟空必然成为三界之中超越无数大神的存在。

第四十一节　文殊受难

在《西游记》中，文殊菩萨虽然不如观音菩萨地位尊贵，却也是贵为佛派四大菩萨之一，名声广大，法力超群。可是，在乌鸡国故事中，文殊菩萨竟然被一群凡人抓住狠揍了一顿，还被扔到护城河中淹了三天。文殊菩萨毫无还手之力，多亏巡查的六丁六甲经过，才把他救了回来。

文殊菩萨为何这么逊？

他啊，是肩负了特别使命，主动被虐的。

或许有人会说，文殊菩萨犯傻吗？

文殊菩萨当然不傻，我们先回顾一下乌鸡国的故事。

那一年，乌鸡国大旱，国王本是贤德之君，敬天礼地，可是任凭他祷告玉帝，祷告如来，就是求不来一滴雨。

眼看乌鸡国就要饿殍遍野，国将不国了，从山上来了一个道士。这个道士（就是文殊菩萨的坐骑青狮精）神通广大，能呼风唤雨。在他的帮助下，天降甘霖，解救了乌鸡国大难。国王大为感动，和道士结成兄弟。这道士倒也尽心辅佐国王，两年间两人关系彼此和睦。即便是深宫中的妃嫔、国王的太子，都对这道士赞不绝口。

三年前，道士对国王忽然下了黑手。他在陪同国王于御花园游玩的时候，不知耍了什么手段，让那井口放出霞光，引得国王伸头去看。这里，他在背后猛推了一把，国王自由落体，掉入井中，淹死了。

道士随后变成国王模样，照常上朝面见百官，照常处理国政，照常与妃嫔宴饮——但是，晚上睡觉时，假国王却推说年纪大了，身体不好了，拒绝与皇后同房——哈哈，大家都知道的，这青狮精是一只被阉割了的公狮子。

三年来无人发现假国王乃是妖精。一直等到三年后，唐僧师徒来到乌鸡国。

唐僧师徒到来后，在孙悟空的出面下，上天找太上老君求来了九转还魂丹，救活了乌鸡国王。然后，大家上殿，孙悟空当面说破假国王乃妖精。妖精与孙悟空大战。正当孙悟空要一棒打死青狮精时，文殊菩萨出现了。

文殊菩萨告诉孙悟空前因后果，并且强调，一饮一啄，莫非前定。若非国王将他淹了三天，他也不会把国王淹死三年。

别说三天和三年的时长不同，谁让你得罪的是仙人呢？

孙悟空还是不理解，文殊菩萨强调：“多亏六甲金身救我归西，奏与如来，如来将此怪令到此处推他下井，浸他三年，以报吾三日水灾之恨。”

原来，下达这个命令的，是如来。

此前，如来是准备提拔那国王的，看原文：“当初这乌鸡国王，好善斋僧，佛差我来度他归西，早证金身罗汉。”

如来给出的待遇很不错，要知道沙僧最后也才得了个罗汉。可是，一旦人家淹了文殊菩萨，如来为何就下狠手弄死人家还将其浸泡三年呢？

如来可不是小肚鸡肠之人，并非国王得罪了文殊菩萨，他就要帮文殊菩萨出气，只因为文殊菩萨被淹本就是如来交代的任务。

我们看文殊菩萨为何被淹？原文如下：

“因是不可原身相见，变做一种凡僧，问他化些斋供。被吾几句言语相难，他不识我是个好人，把我一条绳捆了，送在那御水河中，浸了我三日三夜。”

原来，是文殊菩萨说了许多刁难的话，激怒了国王，国王才如此做的。

文殊菩萨的任务就是要激怒国王，让国王犯错。如此，文殊菩萨才可以让青狮精下界作乱。

那如来、文殊菩萨为何这么做呢？关键的答案来了——

因为文殊菩萨让青狮精变成了一个道士。

孙悟空很懂事，在和文殊菩萨交谈后，原文说：“行者将菩萨降魔收怪的那一节，陈诉与他君臣听了，一个个顶礼不尽。”

孙悟空只是告诉真国王、皇后、太子，文殊菩萨帮助降伏了妖怪，而没有告诉他们，妖怪就是文殊菩萨派来的。这只因事关重大，孙悟空不敢说出真相。

估计用不了几天，假国王乃道士所变、道士就是妖怪的消息，就会传遍乌鸡国。道派在乌鸡国势必永无翻身之地。而佛派的唐僧师徒以及文殊菩萨帮助乌鸡国降伏妖怪、安邦定国的故事，必定代代流传。

即便是在西牛贺洲，道派的势力依然极为强大，如来要想让佛派势力走出灵山，占领整个西牛贺洲，同时又不引起玉帝怀疑、太上老君反击，就必须下点功夫，就必须做得隐秘。

如来让文殊菩萨小小牺牲了一下，演了一出苦肉计，就为佛派夺取了一个国。文殊菩萨功劳可谓大矣，如来谋略可谓高矣！

第四十二节　四处破绽

乌鸡国王本来是乌鸡国的开国之君，登基之后国泰民安，广布德政，对佛派也非常推崇。

文殊菩萨对孙悟空介绍乌鸡国这段公案时，一再强调：如来仁慈博爱，赏罚分明。他老人家本要晋封乌鸡国王为罗汉，没想到国王竟然把佛祖使者文殊菩萨给淹了。侮辱使者，等于侮辱佛祖，将他淹死三年算轻的，小惩大诫，下不为例。

其实，文殊菩萨是帮如来掩饰其真实目的——要令乌鸡国君民改奉佛派。

西游原著中，如来的实际可控范围并不大，仅仅是灵山一带。而即使是灵山脚下的天竺国，都是不信佛的。从“四圣试禅心”开始，出场了波月洞黄袍怪，平顶山金角、银角，号山红孩儿，车迟国虎、羊、鹿三仙……西牛贺洲的绝大多数国家，信奉的是道派仙神，而非佛派的佛、菩萨。

西游世界中，道派一统三界，佛派的生存空间并不大。因此，如来策划了取经，借助玉帝批准的这次官方行动，以肃清西牛贺洲本土的敌对力量。但是，如来不可让玉帝觉察其动机，不然必会引来天庭征伐。以当时如来四十六佛、上百菩萨、五百罗汉、三千揭谛的力量，怎么和天庭对抗？

要知道，天庭四帝的能量个个都在如来之上，五方五老中的其他四人，也堪比如来。单玉帝直属的军队就有天兵十万、水军八万。而佛派满打满算，也不过是四千人马。

因此，如来只能悄悄行动。

如来确实是西游世界的布局大师。不过，即便如此，在乌鸡国故事中，还是有四处破绽，可以让我们发现如来操控的痕迹。

第一处，鬼王见唐僧。

乌鸡国王被冤杀之后，其冤魂也曾四处告状。怎奈都城隍经常和青狮精喝酒，四海龙王和妖怪有亲戚，东岳大帝是妖怪的好朋友，十殿阎罗是妖怪的结拜兄弟。他飘飘荡荡三年，有冤无处诉。

那么，国王冤魂是怎么找上唐僧的呢？

国王亲口交代，道破真相：

“师父啊，我这一点冤魂，怎敢上你的门来？山门前有那护法诸天、六丁六甲、五方揭谛、四值功曹、一十八位护教伽蓝紧随鞍马。却才被夜游神一阵神风，把我送将进来。他说我三年水灾该满，着我来拜谒师父。他说你手下有一个大徒弟，是齐天大圣，极能斩怪降魔。今来志心拜恳，千乞到我国中，拿住妖魔，辨明邪正，朕当结草衔环，报酬师恩也！”

唐僧有护驾仙神护卫，寻常阴魂根本无法近身。是夜游神以一阵神风将鬼王送来，并且告诉他，可以借孙悟空之力，降伏妖怪，雪耻报仇。

这夜游神乃是玉帝派出的人马，对乌鸡国王被冤杀的前因后果并不知情。唯一的可能，是文殊菩萨就在附近，是他交代夜游神，放鬼王进去拜见唐僧。

第二处，青狮精留下白玉圭。

唐僧说，需要一个信物，才能让乌鸡国太子相信父亲已经死去。鬼王就留下一个白玉圭。他还特别提道：那全真（道士）自从变了我的模样，只是少变了这件宝贝。他到宫中说，那求雨的全真拐了此圭去。

以如来之精明、文殊菩萨之细密，岂能犯下这等错误？这白玉圭本就是青狮精故意留下的一个破绽。在原著中，并没有任何地方提到白玉圭是什么神奇宝贝，不过就是一件凡间美玉。以青狮精的神通，怎么会变化不出，又何必说成是被求雨的道士抢走了呢？

要知道后文写到了妖怪变成的唐僧，连猪八戒、沙和尚以及所有护驾仙神都无法分辨。人家的变化之术根本就没有破绽。

第三处，青狮精三年不与后宫同房。

太子听了唐僧的话，不是很相信，于是跑入宫中询问母亲，父王最近三年和以前有什么不同。他母亲乌鸡国皇后说："这桩事，孩儿不问，我到九泉之下，也不得明白。既问时，听我说：'三载之前温又暖，三年之后冷如冰。枕边切切将言问，他说老迈身衰事不兴！'"

皇后强调，三年来，国王没有和自己发生过一次关系。理由是，年纪大了，身体不行了。

乌鸡国王年纪并不老，也就四十五六岁，推说自己身体不行，理由很牵强。我们看了后文知道，是文殊菩萨把青狮精给阉了，然后才放他下凡作怪。猪八戒还调皮地上去捏了人家裤裆一把，结果证明，那妖怪裤裆下空空如也。

文殊菩萨为何要这么做？

如来和文殊菩萨的目的是要国王痛恨道士，而不是毁了国王，毁了乌鸡国。因此，青狮精下凡三年间，除了杀了国王，什么坏事也没做——既没有荼毒百姓，也没有祸害妃嫔。

做妖怪做到如此地步，青狮精，你受委屈了。

青狮精没有法子，因为这是如来、文殊菩萨布局的重要一环。国王与皇后恩爱有加，却三年不同房，这既可以保持皇后名节，又可以轻易证明假国王有问题。

第四处，也是最关键的一处，是青狮精逃跑后又返回，当众弄妖法，变成唐僧。

孙悟空带着复活了的真国王一起上殿，揭穿了假国王的身份，青狮精所化的假国王立刻驾云逃跑了。当时，青狮精完全可以一走了之，孙悟空根本追不上。

看原文："气得沙和尚暴躁如雷。猪八戒高声喊叫，埋怨行者是一个急猴子：'你就慢说些儿，却不稳住他了？如今他驾云逃走，却往何处追寻？'"

孙悟空自然不肯承认错误，他干脆不去追了，且说："兄弟们且莫乱嚷。我等叫那太子下来拜父，嫔后出来拜夫。"却又念个咒语，解了定身法，"教那多官苏醒回来拜君，方知是真实皇帝，教诉前情，才见分晓，我再去寻他。"

孙悟空有筋斗云不假，可是只要青狮精躲入哪个山洞里，孙悟空根本找不到。孙悟空等人忙活了好久，人家夫妻父子都抱头痛哭完了，孙悟空才跳上云头去追。而那青狮精却又回过头来变成了一个唐僧。

所谓"天堂有路你不走，地狱无门自来投"，青狮精这么干不是自寻死路吗？

原因只有一个，文殊菩萨正在云端中看着呢！若青狮精以假国王的面目逃走了，如何证明假国王就是当初的道士呢？青狮精必须回去把戏演完。

苦哈哈的青狮精只好硬着头皮回来，当众变成了唐僧，把满朝文武百官吓了一大跳——原来假国王真的是个妖怪。被识破后，青狮精恢复成了当初求雨道士的模样，在万众瞩目下和孙悟空三兄弟大战。

青狮精武艺平平，眼看就要被孙悟空一棒子打死，“副导演”文殊菩萨赶紧出来救场：“孙悟空，且休下手！”

然后，青狮精的“戏”演完了，顺利归队。

当然，乌鸡国王能够获得新生、夺回宝座，除了如来、文殊菩萨留下许多线索，处处配合，还有一个重要原因，那就是孙悟空发挥聪明才智，成功布局，让死去的国王能走上朝堂，当众揭发真相。

那么，孙悟空具体是怎么布局的呢？

第四十三节　悟空布局

唐僧师徒借宿宝林寺时，乌鸡国王鬼魂来访，诉说冤情。唐僧答应救助他，却苦于没有办法。唐僧叫来三个徒弟，说明了情况。

孙悟空一听大喜说：“等我与他辨个真假。想那妖魔，棍到处立要成功。”见孙悟空话说得太满，唐僧有点担心，提醒说：“徒弟，他说那怪神通广大哩。”孙悟空撇撇嘴说：“怕他什么广大！早知老孙到，教他即走无方！”

孙悟空凭啥这么自信呢？

取经一路走来，孙悟空早就明白一个道理：所谓磨难，基本上都是如来钦定、观音安排好的一场秀。虽然中途会有波折，却注定最终成功。一切的磨难，都是暂时的。与其畏首畏尾，让人笑话窝囊，不如放手一搏，挣个无敌、无畏的美名。即便最后牛皮吹破了，降不住妖怪，也可以到南海去搬救兵，求观音出马。

可是，要怎么才能够戳穿骗局，还乌鸡国真国王一个公道呢?

取经行动越久，孙悟空越是发现：光靠武力，无法解决问题；没有智谋作为后盾，好勇斗狠只能坏事。

孙悟空不愧是天生石猴，聪颖非凡，略一思索，就想出了一条妙计。

孙悟空这番谋划，是取经以来的第一次布局，虽然还有些青涩，却也算得功成圆满。后来他能够成功谋划真假美猴王事件，和此次布局成功不无关系。

乌鸡国假国王在位已三年，无论是后宫妃嫔，还是朝廷百官，对这位国王都赞不绝口。人家虽然是妖怪化身，但一不荒淫无道，二不滥杀无辜。相反，假国王重用贤才，勇于纳谏，疏远女色，善待百姓。三年以来，全国上下五谷丰登，百姓安乐，人人都念这国王的好。

在这种情况下，如何把这假国王扳倒呢?

孙悟空敏锐地指出，只能从乌鸡国太子入手。

对于百官与百姓来说，只要国君善待臣下，管你是真是假。孙悟空即便可以摆出千百件证据，也很难说动官员和百姓去反对现在的国王。

但太子就不一样了。

太子乃国之储君，是未来的国家继承人，但他的一切富贵都建立在太子是国王的儿子的前提下。若当前的国王不是太子他爹，那么，国王凭啥要把王位传给太子呢？人家不会再生一个儿子，另立亲生儿子为太子？

虽然眼下三年假国王善待太子，但那只是掩人耳目。一旦时机成熟，比如假国王有了自己的儿子，那就是太子的死期。即便假国王明明白白告诉太子，你放心，就算我有其他儿子，你的太子之位也不会动摇。大家想想，太子会相信吗？

当时太子可不知道，假国王是个阉人。

总之，放眼乌鸡国，最在乎国王真假的，就是太子了。

真国王的冤魂也明白这点，于是特意留下了一件白玉圭作为信物，希望唐僧交给太子观看。

只是，假国王已经公开宣布，当初那全真道士，贪图财物，当众抢走了白玉圭，飞回终南山去了。即便唐僧拿出白玉圭，又如何证明国王不是道士变化，而是真国王呢？

孙悟空告诉唐僧，只要唐僧答应他三件事，包管没问题。唐僧询问是哪三件事。孙悟空说：“明日要你顶缸、受气、遭瘟。”

猪八戒一听就笑了。谁让唐僧总是念《紧箍咒》呢，现在猴子找到机会还不整整唐僧？

孙悟空不理八戒嘲讽，把自己的想法一一说给唐僧听。

要想取得太子信任，相信假国王不是他爹，单凭一件白玉圭当然是不够的。何况，太子与唐僧素不相识，一个陌生人忽然跑来说，你爹已经死了，你现在是认贼作父。不用多想，下场肯定是被太子暴打一顿。

于是，孙悟空先给唐僧打个预防针——明天很可能会受气，甚至挨打。

只有先告诉唐僧未来可能发生的倒霉事，等孙悟空布局成功，唐僧毫发无伤，才会对孙悟空感激、敬佩。

那孙悟空是怎么做的呢？

第二天，演戏开始。

第一幕：太子猎兔。

太子带着三千人出城打猎，原本是不来宝林寺的。孙悟空变成一只白兔，故意往太子的箭上撞。太子也是个一根筋的年轻人，看到兔子中箭，于是策马猛追。于是，那只明明已经中箭的兔子却翻山越岭，一直冲进了宝林寺。太子到山门前时，看到自己的箭竟然插在庙门上。

太子心中狐疑，走入寺庙。

僧官几年前是见过太子的，今日再见时，激动万分，立刻带着五百和尚匍匐恭迎。看着磕头如捣蒜的和尚，太子心中的郁闷散了大半。他想起了这宝林寺是当初父亲下令修建的，也算是自家的产业，于是信步走了进去。

走进大殿，太子忽然看到一个和尚（唐僧）用屁股对着自己。太子大怒："这个和尚无礼！我今半朝銮驾进山，虽无旨意知会，不当远接，此时军马临门，也该起身，怎么还坐着不动？"他年纪不大，官威十足，下令将唐僧拿下。幸亏孙悟空喝令护法神保护唐僧，不然唐僧的屁股就要开花了。

孙悟空故意让唐僧不去迎接太子，只顾念经，就是要引起太子的注意。看到太子发怒，孙悟空笑了：调教个毛头小子，根本不费力气嘛！

第二幕：和尚献宝。

太子见麾下那些武士竟然不能靠近唐僧，立刻就质问唐僧是什么人，竟敢用妖法。唐僧就介绍自己："乃是东土唐僧，上雷音寺拜佛求经进宝的和尚。"按照孙悟空的吩咐，唐僧特意在取经的后面，加上了"进宝"二字。

果然，太子中计，他说："你那东土虽是中原，其穷无比，有甚宝贝，你说来我听。"其他人都认为大唐乃上邦，唯独这太子说东土很穷。这"皇二代"的见识，如此与众不同。

唐僧说，锦襕袈裟是第一件宝。太子一听，哈哈大笑，说唐僧的袈裟不配叫宝物——还有半边身子都没罩住呢。唐僧一听，也恼了。这太子除了狂妄，还有点白痴。唐僧吟诵了一首诗，说明自己袈裟的好处，结尾话锋一转，说："仙娥圣女恭修制，遗赐禅僧静垢身。见驾不迎犹自可，你的父冤未报枉为人！"

听区区和尚竟敢辱骂自己，太子大怒，要唐僧拿出凭证，否则就要治唐僧一个诽谤之罪。

唐僧就拿出了第二件宝物：立帝货。

立帝货是什么？是孙悟空变成的两寸小人。可是，这小人为什么叫立帝货呢？

原来，英文中的耶稣，叫 Redeemer，明朝时翻译成汉语，就叫作"立帝贸"，"贸"和"货"字形相近，抄写时很容易写错，于是在一些地方也被写成了"立帝货"。在吴承恩时代，许多西方传教士手中拿着的，就是两寸大小的耶稣像。

孙悟空变成的小人把真国王冤魂所说的内容一一对太子说出。其中说到了不少宫廷秘闻，比如国王与道士结拜兄弟等。太子渐渐有些相信了。最后，孙悟空点出，真国王已经死了，并且让唐僧拿出了第三件宝贝——白玉圭。

第三幕：后宫问母。

太子的第一反应，就是唐僧乃当初那个道士变化，如今拿着白玉圭回来挑拨他们的父子感情。也难怪，三年来，假国王对他还不错，他丝毫没有起疑心。

孙悟空早就料到了太子的反应，于是说，要想证明真假，只要再问一个人即可。太子问是谁。孙悟空说，入宫问母亲。

太子虽然是国之储君，可毕竟不如王后与国王同床共枕，耳鬓厮磨。若是有王后作证，一切都会分明。

孙悟空料定王后必然能说出真相，于是，他重点提醒太子，要留下兵马，孤身入城，而且要走小门入宫，切不可惊动了妖怪。否则，他们母子难免有性命之忧。

第四幕：井中捞尸。

有太子和王后的证词，孙悟空应该能说动一部分官员和百姓。只是，那假国王已在任三年，对民众颇有恩惠。而太子年幼，权势未固，王后又深居后宫，不能干预政务，若是妖怪当堂否认，在不动粗的情况下，成功与否还是一半对一半。

如何确保此行胜利呢？

在人证之外，若再有物证，自然可万无一失。

于是，孙悟空就劝说猪八戒，两人一起跑到了乌鸡国的御花园井水中，捞取了真国王的尸体。

孙悟空本想着抬国王的尸体入城，那自然可以证明真国王已经死了，眼前的国王是道士变化的。只是，猪八戒被骗背了死人，心中有气，就挑唆唐僧，说孙悟空有办法救活真国王。唐僧以《紧箍咒》威胁，孙悟空不得不上兜率宫太上老君处讨要了一颗九转还魂丹，让死去三年的乌鸡国真国王起死回生。

那九转还魂丹乃是仙丹中的极品，即便是大罗金仙死了，服下此丹，也可以立刻复活。这乌鸡国王有幸服下此丹，真是有大造化，估计以后百病不生，活个千八百年也不成问题。

最后，真国王在唐僧师徒的陪同下进入大殿，孙悟空当众说出当初的冤案，太子、王后一旁帮腔，朝中百官如梦初醒。假道士见情势已经一边倒，知道自己任务已完成。此后，他又故意现出道士模样，和孙悟空当众交手。不久，文殊菩萨到来，收走了青狮精。

真国王对唐僧师徒感激涕零，摆出国王的銮驾请唐僧上坐，他自己与王后、太子亲自为唐僧捧毂推轮。

第四十四节　奇怪井龙王

龙王，乃龙族之王者，更是天庭正式任命的一方水神。一般来说，只有在那些大型的江河湖海，才会设置龙王。可是，在《西游记》中，乌鸡国御花园中一口井内，竟然也有一个水晶宫，水晶宫中还有个井龙王。

是不是每一口井中都有龙王存在呢？绝对不是。

原文中，猪八戒一见“水晶宫”三字，大吃一惊说：“罢了，罢了！错走了路了！下海来也！海内有个水晶宫，井里如何有之？”

猪八戒可不是寻常仙人，他本是天庭掌管八万水军的天蓬元帅。在水系天神中，猪八戒是绝对的高级将领。以老猪的见闻，都没有听说过井中有龙宫。这说明了什么？

这就说明，乌鸡国御花园这口井中存在的水晶宫，存在的龙王，是一个特例。

西游世界何其广大，为何唯独乌鸡国御花园井水中有龙王？这神秘的龙王又是谁呢？

我们且看猪八戒下井之后与井龙王的一番对话，从中或许可以找到答案。

猪八戒的话语声惊动了水晶宫中人。一个小妖打开宫门，探头出来。猪八戒一眼认出那妖是一个夜叉。

《西游记》中，有巡海的夜叉，有巡河的夜叉，此处既不是海，也不是河，于是，我们称其为巡水的夜叉。从这井龙王配备了夜叉来看，他管辖的范围虽然极小，可是品阶待遇未必会低。

事实上，那井龙王不但官品不低，并且早在许多年前——猪八戒还担任天蓬元帅的时候，井龙王就与猪八戒认识。

理由有两个。

其一，一听夜叉描述来人是一个长嘴大耳的模样，井龙王心中立刻想到："是天蓬元帅来也！"若非早就见过猪八戒，怎么可能猜到来人身份？若非井龙王本就是天庭神仙，又怎会知道猪八戒担任过天蓬元帅？

两人聊天时，井龙王说："元帅，近闻你得了性命，皈依释教，保唐僧西天取经，如何得到此处？"

井龙王恭喜猪八戒"得了性命"，也就意味着，他不但知道当下猪八戒成了和尚，还知道一百四五十年前，猪八戒因为调戏嫦娥、大闹斗牛宫，被打了两千板子，差点被整死的事情。

其二，当猪八戒看到井龙王时，第一句话说："原来是个故知。"然后，猪八戒"不管好歹，径入水晶宫里。其实不知上下，赤淋淋的，就坐在上面"。

猪八戒在井龙王面前为何大大咧咧，衣衫湿淋淋的，就坐在上位呢？只因这井龙王不但是猪八戒的熟人，并且是他曾经的部下。猪八戒根本用不着和他客气。

那么，这井龙王究竟是谁呢？

我的理解，这井龙王就是那泾河龙王。

泾河龙王不是被魏征砍头了吗？

书中有正面写到泾河龙王被砍脑袋了吗？没有。

第十回中，秦叔宝向唐太宗禀奏说："千步廊南，十字街头，云端里落下这颗龙头。"大家注意，所有人都只是看到从云端掉落下一颗龙头。

然后，魏征解释说，是自己梦中监斩。于是，所有人都觉得，泾河龙王已经死掉了。

在唐太宗梦游地府的时候，十殿阎罗也解释说："自那龙未生之前，南斗星死簿上已注定该遭杀于人曹之手，我等早已知之。"按照阎罗的解释，泾河龙王本就该被魏征杀死。

既然如此，泾河龙王为何还能够在大唐皇宫前呼喊叫屈，扰得唐太宗夜夜不得安宁呢？

无论是凡人也好，仙人也好，只要是命中注定的死期到了，就会有勾魂使者前去勾魂。当初孙悟空活到三百四十二岁时，不就是在喝酒后打瞌睡时，被鬼差勾魂了吗？

可是，既然泾河龙王不是枉死，勾魂使者为何没有带走泾河龙王魂魄呢？

唯一的真相就是，这一切都是一个局，一个逼迫唐太宗主动派出僧人前往西天取经的局。

不过，泾河龙王并没有真正被杀死。

毕竟，泾河龙王是四海龙王的妹夫，而四海龙王乃是人间水族之长。龙族不但神通强大，且繁衍极快。四海龙王家族的势力，在人间当仅次于五方五老。

当然，在公众心中泾河龙王既然已经死掉了，也就不应该再在人间出现了。在观音的安排下，泾河龙王悄悄来到乌鸡国御花园当了一个井龙王，并且来此执行一个任务，以换取重见天日的机会。

这个任务就是保护乌鸡国王的身体和魂魄三年。

原著中有什么地方可以证明井龙王和佛派、天庭有着千丝万缕的关系呢？

听说猪八戒到来，井龙王说："昨夜夜游神奉上敕旨，来取乌鸡国王魂灵去拜见唐僧，请齐天大圣降妖。这怕是齐天大圣、天蓬元帅来了，却不可怠慢他，快接他去也。”

夜游神乃天庭仙人，他来到井下并非私事，而是“奉上敕旨”。这个“上”是谁呢？毫无疑问，是天庭的主宰玉皇大帝。

也就是说，夜游神是奉了玉皇大帝的命令，来将真国王的魂魄带走。

换言之，当初这真国王被淹死后，其魂魄没有按照规矩被地府鬼差带走，而是留在了井下龙宫。这并非井龙王和国王有什么交情，而是这一切本就是佛派的安排，并且已经请示了玉帝。

若非玉帝批准，井龙王私自扣押乌鸡国王魂魄，可是犯下大罪。玉帝不可能不惩罚。

后文还提到，孙悟空看到被淹死三年的真国王竟然肤色如生，觉得很奇怪。猪八戒解释说，是井龙王给用了定颜珠。

孙悟空大喜说：“造化，造化！一则是他的冤仇未报，二来该我们成功，兄弟快把他驮了去。”

第一句话很好理解，第二句话为何说是“该我们成功”呢？

只因孙悟空再次看明白了，天庭与佛派早就把一切都安排好了。三年前真国王的魂魄被留在井下，目的就是等唐僧师徒到来，请孙悟空降妖。真国王肤色如生，也是为了方便复活。

而井龙王看守真国王的尸体与魂魄三年，井口也就被堵塞了三年。三年之后，孙悟空打开井盖，井龙王也能够重见天日。

猪八戒很聪明，虽然说与井龙王是旧相识，却始终没提井龙王的姓名、身份。只因他也知道泾河龙王已经死了，现在活着的是乌鸡国御花园井龙王。

有井龙王这个新身份，有保护真国王的这份功果，相信不久之后，这井龙王就能重新活跃在江河湖海之上。

离开乌鸡国后，唐僧师徒来到了号山。号山上有一个大魔头叫作红孩儿。

第四十五节　红孩儿身世

关于红孩儿，坊间有一个观点流传很广，说红孩儿不是牛魔王的儿子，而是铁扇公主（罗刹女）与太上老君的私生子。这个观点很奇葩，很另类，很吸引眼球。只是，这个观点的理由并不充分，经不起推敲。

凭啥认为红孩儿就是太上老君的私生子呢？坊间的理由主要有四个。

其一，红孩儿会三昧真火。

据说，三昧真火乃道家不传之秘，太上老君的独门神火。红孩儿会三昧真火而牛魔王不会，可见在术法传承上两人有所不同。

其二，红孩儿没有一点牛模样。

牛魔王平常就是一头牛精模样，显露真身后更是一只千丈大白牛。可是，原著中红孩儿是一个纯粹的人类孩童模样。他若是牛魔王之子，怎么会没有遗传到牛的基因呢？可见，其父另有其人。

其三，红孩儿驱使山神，势力强大。

红孩儿驱使山神、土地，而金角、银角大王也驱使山神、土地，如出一辙。金角、银角大王乃是太上老君的烧火童子，算是身边人，而那红孩儿凭什么驱使山神、土地呢？即便牛魔王也没有红孩儿嚣张啊！何况，红孩儿见到观音一点也不畏惧，竟然称呼观音为“脓包菩萨”。从此可见，红孩儿的真正父亲必定很牛，比观音还牛。

其四，其母罗刹女手上有来自太上老君的芭蕉扇。

书中灵吉菩萨道出罗刹女手上芭蕉扇的来历：乃太上老君在开天辟地之初取得的通天灵宝。此等灵宝，怎么会轻易送出？而火焰山乃是太上老君八卦炉掉下的一块砖演化而成。太上老君送给罗刹女能灭火焰山之火的芭蕉扇，正是为了给罗刹女一份丰厚收入，让小情人可以安稳度日。

总之，只有太上老君和罗刹女私通，才能解释为何红孩儿会三昧真火，为何没有牛基因，为何势力强大，为何母亲手中有太上老君的至宝。

其实，红孩儿就是牛魔王之子。这一点在原著中早有答案。

红孩儿为何会三昧真火？

三昧真火是《西游记》中一种很独特的火焰，威力很大，用私雨无法将其浇灭。

但是，三昧真火并非红孩儿独有，孙悟空也会三昧真火。并且，孙悟空才是《西游记》原著中第一个明确提到三昧真火的仙人。

原著第七回，玉帝派人刀砍雷劈都不能伤害孙悟空："太上老君即奏道：'那猴吃了蟠桃，饮了御酒，又盗了仙丹。我那五壶丹，有生有熟，被他都吃在肚里，运用三昧火，锻成一块，所以浑做金钢之躯，急不能伤。'"

太上老君说，孙悟空之所以不能被伤，是因为孙悟空把偷吃的仙丹，在体内用三昧真火煅烧成了一块，令全身变成了金刚不坏之躯。当然，孙悟空体内虽然有三昧真火，却不能释放出体外。在运用三昧真火的手段方法上，孙悟空很欠缺。

在《西游记》中，能在口中喷火的并非仅有红孩儿，在第五十五回写到蝎子精时，原文说："那怪见八戒来，他又使个手段，呼了一声，鼻中出火，口内生烟，把身子抖了一抖，三股叉飞舞冲迎。"

看到了吗？蝎子精不但会喷火，还会喷烟，其神通和红孩儿一样。可是，那次孙悟空早有防备，一点也没有受伤。

并且，我们翻遍《西游记》，没有一处说三昧真火是"道家不传之秘"。并且，太上老君八卦炉中的神火，乃是"文武火"而非"三昧真火"。

原著中明确提到了红孩儿为何会三昧真火："他是牛魔王的儿子，罗刹女养的。他是曾在火焰山修行了三百年，炼成三昧真火，却也神通广大。"

红孩儿自从出生后，就一直在火焰山修行。他在火焰山修炼并领悟了运用三昧真火的神通。

书中交代红孩儿使出三昧真火有以下两个前提：

第一，推出五辆小车，小车上放满了五行之物，即金、木、水、火、土。借助五行之力，红孩儿才能将三昧真火运用出体外。

第二，用手砸自己的口鼻，用自己的精血为引，才能发动三昧真火的攻击。

因此，红孩儿对神火的运用虽有其高妙，但也有其局限——他只有在五行车的有效范围内，才能发动三昧真火。

红孩儿为何不像牛呢？其实，不单红孩儿不像牛，他叔叔也不像牛。

在唐僧师徒到达女儿国的时候，唐僧、猪八戒因为误喝了子母河的水，都怀孕了。因此，孙悟空前往解阳山找如意真仙要落胎水。

如意真仙乃是一个道士，书中详细写到了他的打扮，并且点明了此人的长相："形容恶似温元帅，争奈衣冠不一同。"这如意真仙仿佛温元帅。此温元帅乃是真武大帝麾下第一神将，是人身修成的仙人。

也就是说，牛魔王是牛模样，而其弟如意真仙却是人模样。既然亲兄弟都可以有不同长相，与罗刹女结婚的牛魔王生下的孩子红孩儿，为何一定要是牛模样呢？

也有读者很奇葩地想，莫非红孩儿是如意真仙和罗刹女的孩子？我很佩服这种奇思妙想，可惜这想法同样没有任何证据。

那红孩儿为何敢欺凌土地、山神，蔑视观音呢？只因他父亲乃是牛魔王。

牛魔王在西方的势力其实非常强大。他当年号称"平天大圣"，名号比孙悟空的齐天大圣还要霸气。孙悟空落败后，他虽然收敛形迹，低调行事，但在西方依然拥有强大的影响力。大家可以看到很多故事中都有牛魔王的身影，今天这个神仙请他吃饭，明天那个龙王请他聊天，说牛魔王乃是西天人界最有人脉的魔王，也丝毫不过分。

我们再看号山的土地、山神是怎么介绍红孩儿与牛魔王的："他是牛魔王的儿子……牛魔王使他来镇守号山，乳名叫作红孩儿，号叫作圣婴大王。"

在山神、土地口中，是神通广大的牛魔王"使"（派）红孩儿来镇守号山的。这号山真正的主人，其实是牛魔王。

平顶山那些山神、土地，对金角、银角大王敬畏有加，因为他们知道金角、银角大王乃是正牌的仙人、太上老君的心腹。而号山的山神、土地则个个对红孩儿充满了怨言："若是没物相送，就要来拆庙宇，剥衣裳，搅得我等不得安生！万望大圣与我等剿除此怪，拯救山上生灵。"若山神、土地知道红孩儿背后是太上老君，他们敢这么说？

红孩儿虽然已修炼三百年，可是，因为某种特殊的原因，他的体型与心性都停滞在儿童时代。因此，孙悟空说是他叔叔，他不信。见到观音来了，他也不服。什么叫作"初生牛犊不怕虎"？说的就是红孩儿。

太上老君确实有芭蕉扇。不过，许多人以为他只有一把芭蕉扇，其实不然。

在"孙悟空三调芭蕉扇"中，孙悟空从铁扇公主那里借来的第一把扇子，一扇，火焰山就升起千丈火焰。可见，光是铁扇公主就有两把扇子，一把扇火，一把灭火。

另外，在孙悟空为乌鸡国王上天求取还魂丹的时候，原著说：“只见那太上老君正坐在那丹房中，与众仙童执芭蕉扇扇火炼丹哩。”

从此可见，在兜率宫，芭蕉扇并不是很珍贵。金角、银角大王故事中，芭蕉扇就是银角大王带下凡间的法宝。

太上老君在开天辟地之初，看到的那芭蕉肯定不止一片叶子。太上老君应是把那些叶子炼制成了许多把芭蕉扇，并极有可能是每个弟子人手一把。

铁扇公主的芭蕉扇，应当是来自牛魔王，而并非太上老君。

因为，牛魔王和孙悟空、猪八戒一样，都是太上老君化身所收的弟子。整部《西游记》，会天罡变、地煞变的唯有此三人。

太上老君想方设法给了孙悟空金箍棒，给了猪八戒九齿钉钯，而给牛魔王的，就是一阴一阳两把芭蕉扇。

第四十六节　大战红孩儿

红孩儿变成小孩模样，掳走唐僧之后，孙悟空上门交战，与红孩儿前后数次交手。

在不少读者的印象中，孙悟空差点被红孩儿的三昧真火烧死，自然不是红孩儿的对手。其实不然。原著中，孙悟空与红孩儿几次交手，无一落败，不但没落败，还占据绝对上风。只是因为一些特殊原因，才导致孙悟空差点死亡。

第一次交手：比武。

孙悟空来到号山火云洞前叫战，红孩儿出来后，孙悟空想要和他拉关系，于是说出五百年前自己和牛魔王结拜兄弟这件事情。可是，“那怪物闻言，那里肯信，举起火尖枪就刺”。红孩儿根本不相信孙悟空和自己的父亲牛魔王是结拜兄弟。

为何呢？

因为孙悟空出言不逊，激怒了红孩儿。

孙悟空一见红孩儿，就口称贤侄，还威胁说：“趁早送出我师父，不要白了面皮，失了亲情，恐你令尊知道，怪我老孙以长欺幼，不像模样。”大家听孙悟空这几句话，是来套交情的吗？人家还没认他这个叔叔，他就端起架子训斥起红孩儿了。

自然，红孩儿大怒说：“那泼猴头！我与你有甚亲情？你在这里满口胡柴，绰甚声经儿！那个是你贤侄？”

红孩儿自从少年得道以来，在西方备受尊崇，在六百里号山更是霸主一般的角色。别人敬畏有加的山神、土地，在红孩儿面前，也只能低头称奴仆。如今，遇上个孙悟空，还是一个被红孩儿轻松抢走师父的孙悟空，红孩儿能重视吗？

孙悟空继续端着长辈的架子说：“哥哥（即小哥，小孩），是你也不晓得。当年我与令尊做弟兄时，你还不知在那里哩。”

红孩儿继续不信：“这猴子一发胡说！你是那里人，我是那里人，怎么得与我父亲做兄弟?”

孙悟空详细说明五百年前自己如何与牛魔王结拜，其他五兄弟又都是谁。可是，怒气攻心、狂傲自大惯了的红孩儿依然不相信，或者说，不愿意相信。他挺枪就刺，要在手底下见个真章。

这里还有一个问题：为何牛魔王不曾和自己的儿子说说孙悟空呢?

因为孙悟空在五百年前大闹天宫，相当于谋反。若是成功，孙悟空自然成为万众仰慕的英雄，可是，孙悟空最终失败了，被天庭镇压了下去。于是，其他六大圣为了保全自己，主动与孙悟空划清了界限。因此，在孙悟空被压的五百年间，没有一个老相识前来拜访他。其中自然也包括牛魔王。

所谓“穷在闹市无人问，富在深山有远亲”。人情冷暖，世态炎凉，在以实力至上的仙界更是如此。

原著说：“那妖魔与孙大圣战经二十合，不分胜败。”是红孩儿武艺和孙悟空相当？不是。作者借猪八戒之眼，道出了真相：

“猪八戒在旁边，看得明白：妖精虽不败降，却只是遮拦隔架，全无攻杀之能；行者纵不赢他，棒法精强，来往只在那妖精头上，不离了左右。八戒暗想道：‘不好啊，行者溜撒，一时间丢个破绽，哄那妖魔钻进来，一铁棒打倒，就没了我的功劳。’你看他抖擞精神，举着九齿钯，在空里，望妖精劈头就筑。那怪见了心惊，急拖枪败下阵来。”

从此可见，红孩儿的武艺远在孙悟空之下，不但不如孙悟空，连猪八戒、沙僧也打不过。

第二次交手：斗法。

红孩儿败退的目的是要退到五行车的范围内。他施展三昧真火的神通还不成熟，必须借助五行车和自身精血作为引子，才能发出火焰攻击。

见到红孩儿砸破自己鼻子，流出血来，猪八戒还开玩笑说："这厮放赖不羞！你好道捶破鼻子，淌出些血来，搽红了脸，往那里告我们去耶。"

猪八戒的意思是红孩儿打不过他们，就表演自残，好去牛魔王那里告状。从此也可见，猪八戒也看不起红孩儿，至少是看不起红孩儿的武艺。

红孩儿喷出三昧真火后，猪八戒逃跑，孙悟空却冲入火中。原文说："这行者神通广大，捏着避火诀，撞入火中，寻那妖怪。那妖怪见行者来，又吐上几口，那火比前更胜。行者被他烟火飞腾，不能寻怪，看不见他洞门前路径，抽身跳出火中。那妖精在门首，看得明白，他见行者走了，却才收了火具，帅群妖，转于洞内，闭了石门，以为得胜。"

大家细看原文，孙悟空以避火诀可以在三昧真火中出入自如。此时，红孩儿不但放了火，也放了烟，而孙悟空浑若无事。可是，红孩儿只是小孩子，孙悟空明明没有落败，他却"以为得胜"。

第三次交手：孙悟空受伤。

在沙僧的建议下，孙悟空请四海龙王来灭火。红孩儿与孙悟空打了二十个回合，眼看就要落败，便再次砸鼻子施展三昧真火。这次因为心中有了倚仗，觉得水可以灭火，孙悟空信心满满——

“大圣道：‘等我捻着诀。钻入火中！’轮铁棒，寻妖要打。那妖见他来到，将一口烟，劈脸喷来。行者急回头，刍得眼花雀乱，忍不住泪落如雨。”

这次龙王下雨，并非全无用处。在上次斗法中，孙悟空之所以撤离，是因为烟大“不能寻怪”，即找不到红孩儿于是退出。此时龙王下雨时，虽然火势更猛，但也灭了红孩儿的烟。孙悟空明明白白地看到红孩儿就站在那里，于是挥棒打去。

这里插一个故事。五代后唐明宗时期，天下初安，唐明宗有点得意。冯道就给他讲了一个故事。冯道说，自己今天骑马摔跤了。唐明宗关心地询问原因。冯道说，自己骑马经过山道陡坡的时候，小心谨慎，平安无事。反倒是走在平坦大道上时，因为过于放心，结果马被小石头绊倒了。

冯道总结道：越是自以为安全的时候，越危险。

孙悟空就是如此。因为龙王之水灭了烟，三昧真火又烧不动孙悟空，孙悟空才会贸然突进，挥棒打红孩儿。可是，红孩儿劈面一口烟，直接被孙悟空吸入肺中。红孩儿的烟，那也是带着浓浓三昧真火气息的烟，温度极高。孙悟空的眼睛、胸肺自然会感觉难受。

即便如此，孙悟空受到重伤了吗？

没有，孙悟空只是流了许多眼泪，胸肺里有一些火气。只要孙悟空精心调息，很快就会没事。可是，孙悟空自己做了一个非常错误的决定：“这大圣一身烟火，炮燥难禁，径投于涧水内救火。怎知被冷水一逼，弄得火气攻心，三魂出舍，可怜气塞胸堂喉舌冷，魂飞魄散丧残生！”

孙悟空这病，就如同跑了三千米后去冲冷水澡，那还不发高烧？

于是，我们可以说，红孩儿不但武艺不如孙悟空，三昧真火也烧不动孙悟空。即便烟火直接喷中孙悟空，孙悟空也没受重伤。

我们看孙悟空是怎么苏醒的——“原来那行者被冷水逼了，气阻丹田，不能出声。却幸得八戒按摸揉擦，须臾间，气透三关，转明堂，冲开孔窍，叫了一声：‘师父啊！’”

书中说得明白，孙悟空受伤是被冷水逼的。只要顺气了，自然就无事了。

第四十七节　勘破世情

唐僧被红孩儿掳走时，孙悟空又是悲伤又是愤怒。等听闻红孩儿是当年花果山结义兄长牛魔王的儿子，孙悟空又满心欢喜，哈哈大笑起来。

猪八戒、沙僧看着大师兄忽怒忽喜的样子，很是疑惑。孙悟空就解释说：“兄弟们放心，再不须思念，师父决不伤生，妖精与老孙有亲。”在孙悟空看来，他和牛魔王乃歃血为盟的好兄弟，就算不能为自己两肋插刀，不难为自己的师父总还是可以做得到吧！

何况，古代人看重尊卑上下之分。孙悟空既然是牛魔王的结拜兄弟，那就是红孩儿的叔叔。长辈有命，晚辈岂能不从？

一旁的沙僧看着孙悟空开心的样子，呵呵冷笑。

沙僧说："哥啊，常言道，三年不上门，当亲也不亲哩。你与他相别五六百年，又不曾往还杯酒，又没有个节礼相邀，他那里与你认什么亲耶？"

沙僧平常不开口，一开口说的都是勘破世情的真理妙言。

沙僧的话可做三层理解。

其一，分别太久有问题。

谈起与牛魔王的交往，孙悟空兴高采烈。但是，他回避了一个非常严肃的问题——当年天庭"围剿"时，曾经发誓同生共死的结拜大哥牛魔王为何没有出现？

就算天命难违，孙悟空败局已定，前去营救徒然牺牲，于事无补，可孙悟空被压五行山下足足五百年，总能抽出一天来看看结拜兄弟吧！

在孙悟空最落魄的时候，牛魔王为何没去看望？

不单单牛魔王，其他五大圣，连同孙悟空所有的亲朋故旧，没有一个人前去看望。

这是为什么？

牛魔王等人自然可以找出千百条没去看望的理由。但是，说一千道一万，关键还是牛魔王等人认为，当时的孙悟空不值得舍命相交。

其二，感情需要经营。

按照孙悟空的观念，大家一个头磕下去，就是一辈子的兄弟。只是，仙人们的一辈子实在太久远了，久远到可以发生太多的变故。

从兄弟变成仇敌，也是常有的世情。于是，经营感情就成为彼此的必须。

中国自古讲究“礼尚往来”。邻里之间，今天你送我一根葱，明天我送你一头蒜。看起来彼此谁都没有吃亏，谁都没有占便宜，仿佛这往来之间纯属多余。其实不然。就是在这一往一来间，感情就出现了。

牛魔王当然知道这个道理。只是，他偏偏没去经营。

这是为什么？

其三，无利可图是关键。

当年孙悟空只不过才成就天仙百十年，就闯龙宫，闹幽冥，惹出超大动静。在人间万千群魔中，孙悟空可谓独领风骚。

正因孙悟空的强势，六大魔王汇聚花果山。他们与孙悟空结拜是因为兄弟感情深厚吗？当然不是，纯粹是因为他们想扩展人脉，借孙悟空的势。

若孙悟空在上天为官之后，能够支援他们一些仙丹、仙酒，那他们就可以少百十年的苦修。有个在天庭为官的兄弟，他们在人间为非作歹时，也可以拉虎皮做大旗，狐假虎威一把。

谁料想孙悟空胆子太肥，竟然竖起反旗，与天相争，惹得玉帝震怒，派出强力部队征讨。花果山的覆灭遂成为定局。

像牛魔王这样精明的人，怎么可能往火坑里跳？孙悟空被压五行山下时，牛魔王正在西牛贺洲充当带头大哥。他一心要将自己的黑道身份洗白，不再做妖精，怎么还会主动前往五行山，看望孙悟空呢？

天下熙熙，皆为利来；天下攘攘，皆为利往。人间也好，仙界也好，奉行的其实是同一个规律。谁也不要怨天尤人，更不要说什么世态炎凉。

听沙僧如此说，孙悟空沉默许久才说：“你怎么这等量人！常言道，一叶浮萍归大海，为人何处不相逢！纵然他不认亲，好道也不伤我师父。不望他相留酒席，必定也还我个囫囵唐僧。”

孙悟空明知沙僧说得在理，可嘴上依然不肯承认，只是话语已经软了很多。

孙悟空十年修成天仙，资质过人，聪颖无比，他当然明白，并非沙僧看轻他人，而是世事本就如此。

后来，红孩儿果然不认孙悟空，两人只能开战。第一战，双方胜败未分。第二战，仗着龙王下雨，孙悟空冲入三昧真火中与红孩儿大战，结果被火气攻心，掉落在阴寒的涧水中，外寒内热，差点死掉。这场祸事是一个意外，还是一场阴谋？

第四十八节　沙僧心机

在取经队伍中，唐僧经常打压孙悟空，猪八戒经常和孙悟空唱对台戏，唯独沙僧对孙悟空还算好。偶尔，唐僧生气要念《紧箍咒》时，沙僧在一旁还会劝说几句。可是，大家知道吗，正是这个沙僧，才是取经队伍中最有心机的人。

猪八戒久历官场，颇有心机，经常把唐僧耍得一愣一愣的。可比起沙僧来，猪八戒还很嫩。

嫩的体现，就是猪八戒经常把自己和孙悟空的矛盾公开化。如此一来，八戒整悟空，悟空也整八戒。所谓杀敌一千，自伤八百。八戒最终也没落到什么好处。可是，沙僧不一样。在师父面前，他是最听话的徒弟。在八戒面前，他是任意揉捏的小弟。在悟空面前，他是值得信赖的盟友。

总之，沙僧寡言少语，以不变应万变，成为取经队伍中人人欢喜、人缘最好的人。

这一切，都和沙僧的身份有关。

猪八戒是太上老君派来打入取经队伍的，沙僧是玉帝派来打入取经队伍的。虽同样是奸细，但两个人的任务并不同。

关键的不同，是太上老君希望取经行动顺利完成，而玉帝非常不喜欢取经行动顺利完成。

在太上老君看来，若取经成功，孙悟空和猪八戒就可以名正言顺地打入佛派，观音的地位必定稳步提高。总之，太上老君扶持的佛派势力会壮大，从而相应削弱灵山力量。

而玉帝为了打压太上老君派势力，需要借重如来力量，于是他批准取经行动。可是，他又不希望灵山力量无限制壮大。因此，玉帝暗中做了不少阻碍工作。比如派黄袍怪下界散布“吃唐僧肉可得长生”的谣言，比如派沙僧打入取经队伍。

沙僧是带着破坏取经行动的绝密任务加入团队的。

或许大家会奇怪——有没搞错？整天嚷嚷散伙的，不是沙僧，而是猪八戒啊！

没有搞错。

若猪八戒真正的任务是破坏取经，他怎么会明目张胆一次又一次地嚷嚷散伙呢？

猪八戒要散伙，乃天性使然。

猪八戒这样描述自己："自小生来心性拙，贪闲爱懒无休歇。"猪八戒能修成仙道，绝非愚蠢笨拙，而是天赋极高，聪明伶俐。可是，他虽有很高天赋，却实在懒惰。

猪八戒是被太上老君强逼着接受下凡任务的，他其实一直都热爱平静的生活，厌倦权力斗争。与高太公分别时，八戒说："丈人啊，你还好生看待我浑家，只怕我们取不成经时，好来还俗，照旧与你做女婿过活。"

取经路上遭遇的妖魔鬼怪其实并不多，满打满算，也不过四十来个妖王。平均下来，一年遭遇两三个妖怪而已。多数时候，唐僧是坐在白马上游山玩；孙悟空在前头空手走路；沙僧牵着马，也是轻松自在；唯独猪八戒挑着重重的行李，走在最后。

用八戒的原话说："似这般许多行李，难为老猪一个逐日家担着走，偏你跟师父做徒弟，拿我做长工！"——这才是猪八戒经常吵着要散伙、要分行李的重要原因。他要以此提醒大家：我的工作最辛苦，我的工作很重要。

沙僧从来不说散伙的话，但是做了不少散伙的事。单单在遭遇红孩儿一段，他就做了两件。

第一件，放纵红孩儿擒走唐僧。

孙悟空把红孩儿往石头上一摔，红孩儿用“尸解法”逃走。然后红孩儿来到八戒、沙僧、唐僧一行前，吹起一阵妖风，把唐僧卷走。当时“只见白龙马战兢兢发喊声嘶，行李担丢在路下，八戒伏于崖下呻吟，沙僧蹲在坡前叫唤”。

当孙悟空询问师父哪里去了时，八戒回答：“风来得紧，我们都藏头遮眼，各自躲风，师父也伏在马上的。”行者道：“如今却往那里去了？”沙僧道：“是个灯草做的，想被一风卷去也。”行者道：“兄弟们，我等自此就该散了！”

从来只有八戒说散伙，这是孙悟空第一次主动说散伙。孙悟空为何这么说？因为心灰意冷。

一方面，因为唐僧总是不相信孙悟空。此前，红孩儿变成孩子喊救命，孙悟空想尽办法避开，可是唐僧不信，坚持要救孩子，这才惹出大祸。

另一方面，因为八戒、沙僧总是偷懒。孙悟空是知道八戒、沙僧的真本领的，可是，每次打斗都是孙悟空冲锋在前。八戒偶然帮忙，也是想趁孙悟空大胜时打死个妖怪，抢个头功。若一旦遇上硬茬，八戒跑得贼快。

沙僧呢，总是说看着师父，不肯出手。师父被抓后，他就说看着行李，还是不肯出手。他偶尔与妖怪（比如黄袍怪、银角大王）交手时，多的时候打八九个回合，少的时候两三个回合就被抓。

眼前，唐僧被抓，猪八戒只顾着自己，而沙僧竟然还开玩笑说，师父是灯草做的，怎能不让孙悟空寒心？

听孙悟空说散伙，猪八戒立刻说，散伙好，散伙好——散伙本就是八戒的台词，沙僧听了却反应怪异。原文说：

“沙僧闻言，打了一个失惊，浑身麻木道：‘师兄，你都说的是那里话。我等因为前生有罪，感蒙观世音菩萨劝化，与我们摩顶受戒，改换法名，皈依佛果，情愿保护唐僧上西方拜佛求经，将功折罪。今日到此，一旦俱休，说出这等各寻头路的话来，可不违了菩萨的善果，坏了自己的德行，惹人耻笑，说我们有始无终也！’”

沙僧这番话说得冠冕堂皇，正气凛然。单独看此段，你会觉得沙僧很不错，很忠诚。可是，放眼整个取经路上，沙僧除了与八戒打斗时露了真功夫，此后还有真正出力吗？——一次都没有。

沙僧就是一个只会说官话套话、不办实事的人。

沙僧的这番话，其实不是劝说孙悟空，而是表态，是向孙悟空表明心志。

果然，孙悟空回嗔作喜：“兄弟们，还要来结同心，收拾了行李马匹，上山找寻怪物，搭救师父去。”看到了吧，孙悟空是因为师兄弟不同心才生气的。当沙僧、八戒都表示要齐心协力时，他就高兴起来了。

第二件，献以水灭火之策。

孙悟空两战红孩儿，虽然占据上风，却拿不下红孩儿。他和八戒二人在议论如何打时，一旁的沙僧却笑了。孙悟空马上说，若沙僧有何妙策，救了师父，算老沙大功一件。

“沙僧道：‘我也没甚手段，也不能降妖。我笑你两个都着了忙也。’行者道：‘我怎么着忙？’沙僧道：‘那妖精手段不如你，枪法不如你，只是多了些火势，故不能取胜。若依小弟说，以相生相克拿他，有甚难处？’”

在沙僧的“好心”启发下，孙悟空想到须是以水克火。沙僧点头说：“正是这般，不必迟疑。”

在沙僧绝对肯定的劝说与催促下，孙悟空前往东海，寻找龙王来下雨灭火。

沙僧语气坚定，有理有据，给孙悟空带来了莫大信心。四海龙王来到后，孙悟空还吩咐八戒、沙僧：“你两个切须仔细，只怕雨大，莫湿了行李，待老孙与他打去。”若非觉得龙王之水一定可以灭了红孩儿之火，孙悟空怎么会想到关心淋湿行李？

结果如何呢？原文说：“原来龙王私雨，只好泼得凡火，妖精的三昧真火，如何泼得？好一似火上浇油，越泼越灼。”

正因三昧真火被私雨喷到，不但不灭，反倒更盛，孙悟空又被烟喷到，才会体内燥热，后投入涧水中降温，最终导致命悬一线。

那么，孙悟空师兄弟三人和龙王知不知道龙王的私雨灭不了三昧真火呢？

首先，孙悟空不知。

其次，龙王不知。龙王只是再三强调，没有玉帝下令，下雨就是违规。他请孙悟空上天去请玉帝下诏，然后才可下雨。孙悟空嫌麻烦，嫌耽搁时间不愿去。

猪八戒和沙僧知道吗？

猪八戒知不知道尚未可知，沙僧则应该是知道的。

理由有两个。

第一，后文中，孙悟空拜见观音，说起请龙王降雨一事。观音立刻说：“既他是三昧火，神通广大，怎么去请龙王，不来请我？”从观音的话语可知，她是知道龙王之雨灭不了三昧真火的。

沙僧本是卷帘大将，见多识广，常年跟随玉帝，知道三界不少的真正隐秘。像人参果，猪八戒不认识，可沙僧认识。龙王私雨灭不了三昧真火一事，他极有可能听玉帝说起过。

第二，沙僧对私雨不但不能灭三昧真火，反倒会增强火势，对孙悟空造成重大伤害，应该早就知情。看原文：

“（当八戒找寻到孙悟空时）沙和尚满眼垂泪道：‘师兄，可惜了你，亿万年不老长生客，如今化作个中途短命人！’八戒笑道：‘兄弟莫哭，这猴子佯推死，吓我们哩。你摸他摸，胸前还有一点热气没有？’沙僧道：‘浑身都冷了，就有一点儿热气，怎的就是回生？’八戒道：‘他有七十二般变化，就有七十二条性命。你扯着脚，等我摆布他。’”

若非知道私雨可以增强三昧真火火势，对孙悟空会造成致命伤害，沙僧为何不细察孙悟空伤势，就直接断言悟空死了呢？

一旁的猪八戒解释说，孙悟空有七十二变，就有七十二条命，根本不可能会死。之后，猪八戒用按摩方法，救活了孙悟空。

沙僧这件事情做得非常隐蔽。孙悟空即便心中对此有所疑惑，但也不能明说。因为他没有证据。

红孩儿最终被降伏，多亏了观音出手。那么，观音有多厉害，为何她能降伏红孩儿呢？

第四十九节　观音神通

在整部《西游记》中，如来和观音都极少出手。如来一共出手两次，一次是降伏孙悟空，一次是降伏大鹏雕。观音一共出手两次，一次是降伏黑熊精，一次是降伏红孩儿。

孙悟空从来都佩服有真本事的人。

观音的第一次出手，不够精彩，甚至不够光彩。孙悟空让观音变化成凌虚子（花蛇精），自己变成灵丹，去找黑熊精。黑熊精吃下灵丹后，孙悟空就在黑熊精肚子内捣蛋，把黑熊精疼得死去活来。观音趁机收了被盗走的袈裟，又把金箍扔到黑熊精头上，念动咒语。黑熊精吃痛，才表态归顺。

那次出手，观音除了展现出精湛的变化之术，并无其他过人之处。因此，孙悟空对观音的本领并不佩服。推倒人参果树后，孙悟空遍寻三岛仙人无果，才想到去请观音。他在火云洞被烧后，先想到的是东海龙王。龙王之雨灭火不成后，孙悟空慨叹流泪，无计可施，还是沙僧提醒他可以去请观音。

在南海，孙悟空和观音有一番对话。

“菩萨道：‘既他是三昧火，神通广大，怎么去请龙王，不来请我？’行者道：‘本欲来的，只是弟子被烟熏了，不能驾云，却教猪八戒来请菩萨。’菩萨道：‘悟能不曾来呀。’行者道：‘正是。未曾到得宝山，被那妖精假变做菩萨模样，把猪八戒又赚入洞中，现吊在一个皮袋里，也要蒸吃哩。’菩萨听说，心中大怒道：‘那泼妖敢变我的模样！’”

听闻孙悟空不请自己，先请龙王，明摆着有轻视自己之意，观音有些生气。孙悟空急忙辩解，自己本来是想请的——孙悟空在偷换概念，他其实是在龙王灭火不成后才想起观音的。最开始他没被熏坏时，根本没想起观音来——孙悟空看出观音有些生气，遂省去前因后果，重点强调红孩儿曾经变做观音模样，欺骗八戒。这一招果然激怒了观音。

于是，观音决定在此次出行中，要向孙悟空，也向西天所有神佛展示一下自己天尊级别的实力。

观音果然神通广大，法力无边，其许多项神通都是孙悟空无法企及的。

第一项，力气大。

我们都知道孙悟空力气大，手中的金箍棒有一万八千斤，即便是背负两座大山，也能健步如飞。但是，孙悟空的力量还是有极限，银角大王移动三座大山，就把孙悟空压趴下了。

而观音把手中玉净瓶一丢，丢下海去，一时三刻之后，那玉净瓶游遍三江五湖，装了一海之水回来。

当一个老乌龟驼着玉净瓶出现时，观音没有自己去拿，而是叫孙悟空去拿。原文说：“这行者即去拿瓶，唉！莫想拿得他动。好便似蜻蜓撼石柱，怎生摇得半分毫？行者上前跪下道：‘菩萨，弟子拿不动。’菩萨道：‘你这猴头，只会说嘴，瓶儿你也拿不动，怎么去降妖缚怪？’”

孙悟空还狡辩，说自己因被烟火烧坏了，没有恢复力气，若在平时，肯定拿的动。观音微微一笑，才说出玉净瓶中乃是一海之水，“你那里有架海的斤量？此所以拿不动也”。

听观音如此说，孙悟空一脸羞愧，合掌行礼说：“是弟子不知也。”观音走上前，单用右手，就轻轻拿起玉净瓶，放到左掌上。

由此可见，观音有架海之力——在《西游记》中观音乃是一个十六岁的美艳少女模样，没想到她竟然是个超级大力士。

第二项，肺活量大。

要出门了，孙悟空请观音先走。观音让孙悟空先走。孙悟空说，若是驾筋斗云，就要翻跟斗，怕观音看到他的屁股会嫌他不敬重。观音听了又是微微一笑，吩咐善财龙女去摘了一瓣莲花，让孙悟空上去。孙悟空上去后，发现此花竟然比海船还要大三分——可见，观音栽种的莲花，也是一种三界奇花，可以制作成通灵法宝。后来通天河的金鱼精手中的两个锤子，就是莲花的花骨朵所制成的。

孙悟空询问，这莲花花瓣没有船桨，没有船帆，怎么行走？观音说不必，然后深吸一口气，再呼地吹出，竟然就把孙悟空吹过了南海，直接到了对岸。

观音的力量、肺活量都远超孙悟空，其真正的原因是观音的法力总量远在孙悟空之上。

对于观音的这种刻意显摆，孙悟空看得一清二楚。他一到对岸，就笑嘻嘻地自语：“这菩萨卖弄神通，把老孙这等呼来喝去，全不费力也！”不过，对于自己被呼来喝去，孙悟空是很服气的。

然而，从观音展现的两种能力，我们也可以看出，观音缺乏攻击性的手段。于是，她吩咐惠岸（木叉）立刻前往天宫，借来托塔李天王的一套天罡刀三十六把。她要用天罡刀组成刀阵，作为困住红孩儿的主要手段。

到了号山，观音先召唤山神、土地，把火云洞附近三百里的所有生灵全部迁走。在明面上，观音是很仁慈善良的。这也让孙悟空更加佩服。

然后，观音把玉净瓶中的一海之水倒出，火云洞附近三百里立刻变成一片汪洋。

观音为何这么做？

此前我们提到，红孩儿若想喷出三昧真火，须以自身精血为引，用五行车强行将附近天地灵气转化成火灵之气。观音把附近变成大海，就彻底把火灵之气镇压了下去。这种情况下，即便红孩儿照旧施法，也无法喷出三昧真火。

没有三昧真火的红孩儿，只算一个中等妖魔。

当时，观音本可以让孙悟空去打败红孩儿，可是，她有心让孙悟空见识见识自己的厉害。于是，她吩咐孙悟空将红孩儿引来。

红孩儿来了后，对观音很不客气，此处有一句经典台词：“你是孙行者请来的救兵吗？”红孩儿几次询问观音，观音都不说话。红孩儿大怒，他一个小孩子，最受不了别人看不起他。红孩儿挺枪就刺，观音留下莲花台，升上天空。红孩儿大喜说：“泼猴头，错认了我也！几番家战我不过，又去请个什么脓包菩萨来，却被我一枪，捌得无形无影去了，又把个宝莲台儿丢了，且等我上去坐坐。”

红孩儿敢称呼观音为“脓包菩萨”并非倚仗谁的势力，而是因为观音被他一招就吓跑了。如此菩萨，不是脓包是什么？小孩子就是单纯。

红孩儿坐上莲台，也学菩萨模样，耍弄了起来。就在此时，观音念动咒语，那莲花台眨眼变成了天罡刀阵。红孩儿想要拔出刀来。观音又念动咒语，天罡刀竟然倒卷了起来。

和有些人认为观音对红孩儿很好，一见面就收其为善财童子，并给了神仙编制的说法不同，我认为观音对红孩儿非常狠辣，一改往常的仁慈作风。

她先是命令惠岸行者用降魔杵将天罡刀全部砸进红孩儿身体中。原文说：“那木叉按下云头，将降魔杵，如筑墙一般，筑了有千百余下。那妖精，穿通两腿刀尖出，血流成汪皮肉开。”

等到实在疼得受不了了，红孩儿才讨饶。观音在天罡刀依然穿在红孩儿腿上的时候，提出摩顶受戒。红孩儿不得已只能答应。

对这种强行逼迫的交易，红孩儿自然不愿意。何况，在他看来，观音的天罡刀也没什么了不起，自己只要不坐上莲台，又何必怕她？

于是，观音一松开天罡刀后，红孩儿就拿起火尖枪劈脸刺来，嘴里还说：“那里有甚真法力降我！原来是个掩样术法儿！不受甚戒，看枪！”孙悟空想要出手，观音阻止，并扔出了金箍，套在了红孩儿身上。

那金箍不愧是三大箍儿（金、紧、禁三箍）中的第一名，竟然化一为五，分别套在了红孩儿的头上和手脚上。观音一念动咒语，红孩儿头脑四肢都痛。红孩儿也实在顽劣，等观音念咒一停，又拿枪来刺观音。观音再念《金箍咒》，红孩儿竟然双手合拢，拿不得兵器。——这金箍，除了往肉里勒紧，还有相互吸引的作用，可以说，它对神通的克制，确实比紧箍、禁箍要厉害。

观音看红孩儿三次刺杀自己，于是告诉红孩儿，要他从此处一步一拜地前往南海普陀山，否则，就念咒疼死他。

观音的这个举动与她一贯的形象并不矛盾。佛派虽讲究“菩萨低眉”慈悲度人，但也讲究“金刚怒目”降妖伏魔。

第五十节　云路缥缈

在古人看来，对于神仙，最可羡慕的无非两点：一个是长生不老，一个是腾云驾雾。

西游世界的不少神仙、妖怪都可以腾云。天庭的仙人自不必说，就连妖怪，基本上先锋官以上级别的都能腾云。虽不是每一位仙人、妖怪的速度都能够做到“朝游北海暮苍梧”，但一旦腾空飞行，速度都远远超过陆地行走。

也就是说，懂得腾云术的仙人、妖怪是一个非常庞大的群体。而腾云术又是一个高速度飞行的术法。那么，飞行的人数多，速度快，自然而然就会引发一个交通问题——西游世界的仙人们会不会在飞行中相撞呢？在飞行时，会不会走错路呢？

四百多年前，吴承恩是怎么解决仙人腾云时面临的种种难题的呢？

其一，云中还有路？

与红孩儿大战之后，孙悟空全身酸软，受伤颇重，无法施展筋斗云。猪八戒主动请缨，前往南海寻求观音帮助。孙悟空一听，笑了说："也罢，你是去得。"在奎木狼故事中，孙悟空亲眼见证了猪八戒腾云的速度，不过是比自己略逊。此刻营救师父，正是分秒必争的时刻，让腾云速度较快的猪八戒出马，正是最佳选择。

可是，孙悟空等了很久也没有见到观音来。后来，一阵腥风刮过，孙悟空闻到其中有些妖气，于是断定猪八戒必然是撞见了妖精，吃了亏了。

事情果然如此。

红孩儿见孙悟空受伤，料定三兄弟必然去搬救兵。他见猪八戒向南飞去，断定是去请南海观音的。于是，他就飞去南方，抢在猪八戒的前头，坐在一处岩壁上，变成了观音等候猪八戒。之后，他三言两语就把猪八戒骗到火云洞，然后抓了起来。

猪八戒为何会被抓？除了他没有火眼金睛，看不破幻术外，一个重要的原因，是红孩儿抢在他前头，化为观音。

书中说了，是猪八戒先腾云去南海，红孩儿在后面追赶的。可为何红孩儿竟然赶到猪八戒前头了呢？莫非是红孩儿的腾云术比猪八戒还要厉害？

并非如此。

原著说："却说那妖王久居于此，俱是熟游之地，他晓得那条路上南海去近，那条去远。他从那近路上，一驾云头，赶过了八戒。”

原来，西游世界的天空并非表面看来的那么虚无，在云层中其实隐藏着一条条道路。其中，有弯路，有直路；有小路，有大路。这些路就犹如一个密密的蜘蛛网，撒在空中，只是凡人们看不到罢了。

按照原文的意思，猪八戒腾空后走了一条常规的云路，这条路为众人熟知，但是距离南海比较远。红孩儿因为熟悉号山附近云路，选择了一条比较秘密的快捷通道，于是才飞到了猪八戒前头。

其二，以啥作参照物？

仙人们在云路中飞行，如何判定自己有没有走错，有没有到达目的地呢？

在五庄观故事中，镇元子听了清风、明月的叙述，腾空而起，就去捉拿唐僧师徒。原文说：“大仙与明月、清风纵起祥光，来赶三藏，顷刻间就有千里之遥。大仙在云端里向西观看，不见唐僧。及转头向东看时，倒多赶了九百余里。”

唐僧师徒虽然半夜就离开了，但是紧赶慢赶，走了一夜，不过是走了一百二十里。镇元子反倒超前了九百来里。

镇元子为何一起步就飞去千里之外呢？

可能有两个原因。

一是镇元子的腾云术很是了得，一旦起步，至少是一千里。

二是西游世界顶级魔王的地盘一般不过八百里，这镇元子却有一千来里。他担心唐僧师徒在推倒人参果树之后溜出他的地界，于是着急忙慌地先飞到自己的势力范围边界，阻挡唐僧西去。

原文说："大仙在云端里向西观看，不见唐僧。"西游世界的仙人们如何判定自己有没有到达目的地呢？这就需要一个固定的参照物。

若是在地面，我们可以设置一个路牌，刻上此处距离某地多少里。可在云路中怎么办？天空中除了白云，就是虚无。白云又随风而动，千变万化，不能作为路途远近的参照。

于是，判定飞行时是否走错，有没有到达目的地，就只有一个很笨的方法——从空中向下观看。

地面的山峦、建筑，是仙人们飞行时的重要参照物。

只是，空中距离地面遥远，如何才能够看到地面的人与事物呢？这就需要仙人们拥有强大的视力与听力。

《西游记》中有两位仙人在这个方面实力强劲，名头极大，即天庭的千里眼、顺风耳。地藏王菩萨的坐骑谛听，也具有顺风耳的神奇能力。

其实，不但是他们，仙人们的视力、听力一般都远远超过凡人。像孙悟空就多次强调，他的火眼金睛可以看到一千里以内的蜻蜓展翅。在朱紫国中，孙悟空侧耳倾听，可以听到整个京城所有百姓的言语。至于如来、弥勒、观音的慧眼神通，更是强悍无比。

其三，云路与地面道路并不一致。

有了超强的视力与听力，不但可以看到地面的参照物，也可以及时发现前方高速飞行的仙人，以早早做出应对。

在金平府时，唐僧夜间上桥关灯，云雾中来了三位佛祖。佛祖说："你是那方来的和尚？怎么见佛像不躲，却冲撞我的云路？"

那三个佛祖是三个犀牛精所变的，腾云速度必定极快，唐僧一个凡人如何能反应得过来？犀牛精看似在质问，其实不过是找一个掳走唐僧的借口。

取经三兄弟中，孙悟空的筋斗云飞得最快，所以他也能者多劳，到过许多地方。取经路上，单单如来所在的灵山，孙悟空就去了四次。其中三次（青牛精、真假美猴王、狮驼国）走的是云路，第四次也是最后一次，是走的陆路。

在灵山脚下，唐僧师徒遇到金顶大仙。大仙提出要送唐僧上灵山，并对孙悟空说：“你认得的是云路。圣僧还未登云路，当从本路而行。”

金顶大仙这话什么意思？就是你孙悟空虽然来过灵山多次，可都是从云路而来，也就是说，飞到大雷音寺前金刚护法守卫处降落的。可是，从金顶大仙的道观到大雷音寺的陆路怎么走，孙悟空其实并不知道。

后来，唐僧师徒来到凌云渡，见到只有一根光滑的横梁，都吓了一跳。孙悟空也是第一次走这儿。

也就是说，仙人们走云路虽然快捷，但是沿途的许多风光会被忽略。孙悟空虽然到了灵山多次，但对灵山其实并不熟悉。

第五十一节　黑水之难

唐僧师徒离开号山火云洞后，走了一个多月，来到了黑水河。在过河时，盘踞黑水河神府邸的小鼍龙变成船夫，抓走了唐僧和八戒。真正的河神找到孙悟空告状，请孙悟空做主为其夺回府邸。孙悟空得知，黑水河中水妖竟然是西海龙王的外甥，于是前往西海兴师问罪。

当得知外甥抓了唐僧，西海龙王大惊。原文说：“龙王见了，魂飞魄散，慌忙跪下叩头。”西海龙王那也是堂堂西海霸主，为何见了孙悟空竟然吓得下跪？

是因为孙悟空神通广大，很能打？

孙悟空确实能打，论单打独斗，《西游记》中所有龙族，百分百无一人是孙悟空对手。

不过，整部《西游记》中龙族出现的频率挺高，其中也有不少高手。

取经团队中的玉龙三太子，即白龙马，就是龙族的高手。他能够以龙形与孙悟空大战多时，十来个回合方才落败。后来，观音摘走了他项下明珠，锯去龙角，将他变成了白马。白龙马在实力大大削减的情况下，依然能够大战黄袍怪八九个回合，实在非常了得。

如果能够有五六个白龙马，就能与孙悟空基本战平，有八九个白龙马，差不多就可以胜过孙悟空。

那么，龙族还有没有其他高手呢？有的，龙族高手如云。要找出五六个、八九个白龙马级别的高手并不困难。

黑水河下，沙和尚大战小鼍龙，双方三十个回合不分胜败，沙僧心中说：“这怪物是我的对手，枉自不能取胜，且引他出去，教师兄打他。”

后来，白龙马的大哥西海龙族大太子摩昂大战小鼍龙，二三十个回合后，他卖一个破绽，将小鼍龙生擒活捉。可见，摩昂的本事又在小鼍龙之上。

摩昂和三弟白龙马的本领谁高谁低在原著中没有明确记载，估计应当在伯仲之间。

除此，龙族中还有许多没有出手的高手。

比如四海龙王。他们都是修炼了数万年的龙神，法力神通几乎都达到了龙族的巅峰。他们的实力，至少相当于白龙马吧！

关键的一点是，龙族有其他仙人都没有的特殊本领——繁殖能力超强。

在原著中特别提到了西海龙王的妹妹有九个儿子。前八个儿子都已经成年，分别成为一方河川的水神。唯独老九小鼍龙年纪还太小，没有获得正式的仙界编制。书中明明白白写到小鼍龙已经几岁了呢？一千岁。

千岁的龙，对于龙族来说，还只是少年。小鼍龙霸占黑水河神府、抓捕唐僧，说到底，不过是一个“官二代”懵懂少年，因不明世事犯了个错而已。

四海龙王各自又有许多龙太子、龙公主。单单四海龙王家族，一撞响金钟，就可以召唤出四五十条神龙。

估计若四海龙王一起上阵，就可以和孙悟空打个平手；若他们所有家人一起冲上去，孙悟空只能败退。

因此，四海龙王尤其是西海龙王畏惧孙悟空的最重要原因，不是因为孙悟空能打。

那是因为什么呢？

在孙悟空于龙宫获取金箍棒一回中，我曾经分析过，水帘洞的第一任主人不是孙悟空，而是太上老君。太上老君为了完成反天大计，在千余年前就开始布局。他通过大禹之手，将金箍棒存在东海龙宫，等待千年后的传人来取。他又在水帘洞下秘密开通了一条道路，直接通往龙宫，以保证孙悟空能够顺利取到金箍棒。太上老君极有可能对东海龙王有所交代。比如，谁来到龙宫，拿得起金箍棒，金箍棒就归谁所有。

原著中特别强调，金箍棒在大海中已沉寂千年。可孙悟空一来，它就绽放万道霞光。

因此，东海龙王才会对孙悟空百依百顺。不但将金箍棒拱手奉上，还敲钟让其他三大龙王各自献上珍宝。东海龙王乃人间水族之主，在仙界地位也不低。他没有必要拍孙悟空的马屁，他拍的其实不是孙悟空，而是孙悟空背后的人。

也因为这个原因，当孙悟空打杀六贼后来到东海，东海龙王才会谆谆教诲，提醒孙悟空对取经行动千万不要半途而废。

关于孙悟空背后的神秘人，东海龙王即便不敢公开告诉三个弟弟，也必然有所暗示。

加上孙悟空参加取经队伍之后，叛逆的身份被解除，自动恢复了齐天大圣的仙界身份，又有了佛派护法的新身份，四海龙王对孙悟空就更加尊重了。

而小鼍龙抓捕唐僧一事，证据确凿，西海龙王明明白白有管教不严之罪。

孙悟空来到西海时，恰巧碰到小鼍龙派出的使者。孙悟空将其一棒打杀，得到了一份请柬。请柬上，正写着邀请二舅同吃唐僧肉。

西海龙王作为仙界的高层人员，对唐僧取经的真实背景看得一清二楚。

可在小鼍龙看来，唐僧没什么了不起，不就是唐朝一个和尚吗？即便有徒弟保护，也都被他打败抓获了。摩昂太子提醒他，唐僧还有一个大徒弟，乃是上方太乙金仙齐天大圣孙悟空。摩昂强调，孙悟空的修仙等级远非他们可以相比。可是小鼍龙年少冲动，提出要和孙悟空过过招。摩昂大怒，说不用孙大圣出手，过了我这关再说。

结果，自然是小年轻打不过老狐狸。

摩昂还只是畏惧孙悟空，其父西海龙王却看透了不能招惹唐僧的根本原因：不是孙悟空强大，而是孙悟空背后的高层势力强大。与孙悟空一见面，西海龙王笑呵呵迎上来说："大圣一向皈依佛门，不动荤酒，却几时请我吃酒来。"龙王对取经行动的佛派背景看得一清二楚。即便小鼍龙可以斗得过孙悟空，那斗得过观音、斗得过如来吗？在背后，还有道派祖师太上老君、三界之主玉皇大帝呢！

正因为外甥招惹了不该招惹的人，西海龙王才会魂飞魄散，吓得半死。

第五十二节　唐僧太重

红孩儿、小鼍龙故事中，两位妖王都曾经驾风掳走唐僧，可是，孙悟空却一再表示唐僧太重，自己背不动。

孙悟空神通广大，神力惊人。在平顶山遭遇银角大王时，孙悟空背着两座大山依然奔跑如飞。一根一万多斤的金箍棒，孙悟空拿在手中，也耍弄得棍影重重，得心应手。

如此了得的齐天大圣，怎会背不动一个人类和尚唐僧呢？

唐僧师徒经过流沙河时，见到波涛滚滚，八百里水面一望无涯，一艘船也没有。

孙悟空提议让猪八戒背唐僧过河。八戒说，师父乃肉体凡胎，重似泰山，自己腾云之术也普通，根本背不动，而孙悟空的筋斗云神奇非凡，或许可以背得动。

孙悟空说："我的筋斗，好道也是驾云，只是去的有远近些儿。你是驮不动，我却如何驮得动？自古道，遣泰山轻如芥子，携凡夫难脱红尘。"

孙悟空从来自负，极少看到他承认自己不能、不会。此处，他的表现很奇怪。

孙悟空说的是实话吗？

唐僧是金蝉子转世，但原著中，许多人反复提到，唐僧乃肉体凡胎，骨肉沉重。

通天河故事中，因为冰裂，唐僧沉入水中。孙悟空师兄弟只能回归陈家庄。陈家二老询问唐僧哪里去了，猪八戒嘲笑说："不叫作三藏了，改名叫作陈到底也。"

通天河浮力正常，唐僧都沉到底了。更何况流沙河乃鹅毛漂不起的弱水，浮力极小。唐僧若掉下去，那更是如秤砣一般，直线下坠。

于是，我们可以知道，唐僧这肉体凡胎对于孙悟空来说，远比泰山还重，背着唐僧飞行，确实是一个重大负担。

可负担归负担，孙悟空究竟能不能背着唐僧飞行呢？

我们结合猪八戒驼唐僧的言与行，可以更好地理解上面的问题。

在黑水河故事中，因为河水黑沉，很是凶恶，又没有船只来往，孙悟空就打起猪八戒的主意。八戒不是水性好，力气大，又渴望立功吗？若是能背唐僧过河，那可是大功一件。

猪八戒却说："不好驮。若是驮着腾云，三尺也不能离地。常言道，背凡人重若丘山。若是驮着负水，转连我坠下水去了。"

猪八戒说，因为凡人特别重，在陆地上背着还可以承受，但是在水中背着就不行了。

事情真的是这样吗？

在黑水河与通天河，唐僧两度落水。降伏妖魔后，是猪八戒和沙僧两度将唐僧背出妖怪洞府。

他们具体是怎么做的呢？

黑水河时，原文说："沙僧即忙解了师父，河神亦随解了八戒，一家背着一个出水面，径至岸边。"

书中提到，那黑水河有十来里宽，唐僧行到河中间时，被小鼍龙掳走。从河底水神府邸到东岸（孙悟空和白马、行李还在东岸）不过七八里路程，路途并不长。可是，就这短短七八里路，竟然还要猪八戒、沙僧、水神一伙人轮番替换，才背着唐僧到达东岸。

从这段故事，我们仿佛可以推测出，凡人真的很重，猪八戒和沙僧都很难背动唐僧。

可是，若真相如此，猪八戒与沙僧在通天河的表现，又让人百思不得其解。

通天河很宽，有八百里，也很深。书中明确提到，孙悟空师兄弟三人在水下走了两百多里，方才找到妖怪府邸。降伏金鱼精后，猪八戒和沙僧“揭开石匣，驮着唐僧，出离波津”。

也就是说，通天河故事中，猪八戒和沙僧其实驮着唐僧游了两百多里。并且，后文中没有一处提到猪八戒、沙僧很累的词句。

对比猪八戒的语言和行动，我们可以发现明显有矛盾：表面上，猪八戒仿佛背不起唐僧；事实上，背了两百里路也没事。

那么，为何会出现这个矛盾呢？事情的真相究竟如何？

取经路上，许多妖王都曾经成功掳走唐僧。比如号山红孩儿，就弄一阵狂风，把唐僧卷走。

红孩儿驾风掳走唐僧有多远呢？

原文中红孩儿说：“拿他师父，自半山中到此，有百五十里，却怎么就寻上门来？”

从唐僧失踪处到火云洞，其中有高山，有深谷，红孩儿带着唐僧都轻松而过。莫非红孩儿的腾云术比孙悟空还要厉害？又或者是孙悟空师兄弟一直在撒谎？

作者也意识到了这个矛盾，于是借孙悟空之口，解释了这个问题。

流沙河畔，孙悟空说：“像这泼魔毒怪，使摄法，弄风头，却是扯扯拉拉，就地而行，不能带得空中而去。像那样法儿，老孙也会使会弄。”

孙悟空提出，妖怪掳走唐僧，并非腾空而去，而是驾一阵狂风，将唐僧卷起，拉拉扯扯，在地面上拖着走——唐僧好悲惨！

孙悟空也施展过这类法术。在乌鸡国御花园，猪八戒背出了真国王的尸体。原文说：“好大圣，捻着诀，念声咒语，往巽地上吸一口气，吹将去就是一阵狂风，把八戒撮出皇宫内院，躲离了城池，息了风头，二人落地，徐徐却走将来。”

作者特意强调，孙悟空是把背着尸体的猪八戒“撮出”皇宫。从这段描述中可以看出，即便是孙悟空也只能让背着凡人的猪八戒沿地而行。虽然八十里的路途中有高墙、有楼阁，但也仅仅是短暂离地，并非真的腾空。

那么，孙悟空真的不能带着凡人飞行？

若说普通妖王做不到，那可以理解。孙悟空可是修行了上品天仙诀，达到混元一气太乙金仙级别的仙人，他的腾云术（筋斗云）更是三界罕见的神通。他能和那些普通妖王一样吗？

和孙悟空口中说的不同，孙悟空实际上可以带着凡人（猴）腾云。

我举两个例子。

其一，孙悟空修成仙法回到花果山，打败混世魔王，救出三五十个小猴。群猴提出路途遥远，回家艰难。孙悟空听后哈哈大笑，表示这不成问题。

原文说：“好猴王，念声咒语，驾阵狂风，云头落下，叫：‘孩儿们，睁眼。’众猴脚躧实地，认得是家乡，个个欢喜，都奔洞门旧路。”

此处，孙悟空是用弄风之法，还是腾云之法呢？区分二者，关键看是不是长时间离开地面。我们注意到原文中有两个词语：“云头落下”与“脚躧实地”。

也就是说，群猴之前是在云中飞行，到了花果山才脚踏实地。从这段话可以看出，孙悟空不但可以带凡人腾云，并且可以带许多个。

其二，在朱紫国时，孙悟空打败赛太岁，救出了金圣宫娘娘。因为妖怪洞府距离朱紫国有三千里路程，走路至少要五六十天。孙悟空就想了一个办法。

原文说：“行者寻些软草，扎了一条草龙，使起神通……（金圣宫）只听得耳内风响。半个时辰，带进城，按落云头。”

此处的金圣宫，百分百是一个凡人。

从带群猴腾空可以看出，孙悟空完全能够带着金圣宫腾空。但是，因为金圣宫是女人，并且是娘娘，带其直接腾云有失体统。于是，孙悟空扎了一个草龙，让金圣宫坐在上面回家。

由以上两处可以看出，孙悟空是完全有能力以腾云之术带走唐僧的，并且绝对不是贴地拖着走的，而是真正的腾云。

孙悟空让金圣宫坐在草龙上，自己作法相随。因为不是筋斗云，他们前行的有些慢，三千里路走了一个小时。但是，算算从长安到灵山不过十万八千里，若以草龙飞行的速度，两天不到也可以到达灵山了。

既然孙悟空可以带着唐僧飞，那他为什么不这么做呢？

孙悟空解释说："只是师父要穷历异邦，不能彀超脱苦海，所以寸步难行也。"

当时，孙悟空对唐僧取经的真正目的虽然没有完全明悟，但已经有所了解。

取经行动，最重要的并非取回的经书，而是取经的过程。孙悟空朦胧地觉得，唐僧取经必须要一步一步走过。否则，即使到达灵山，如来也不会传经。

随着取经路上遭遇的磨难越来越多，孙悟空三兄弟也越来越明白取经的真实目的。

以唐僧为诱饵，吸引妖魔，之后，孙悟空三兄弟扫荡妖魔，完成指定的任务，救出唐僧继续前进。这才是取经的真正目的。

正因如此，孙悟空也好，猪八戒也好，明明有背着唐僧飞行、渡河的能力，却偏偏不去做。

不是不能做，而是不可以做。

第五十三节　大力王菩萨

斗败红孩儿，收服小鼍龙之后，唐僧师徒来到了车迟国。

还未到都城，他们就听到前方传来惊天动地的呼喊声。唐僧惊疑不定，以为有妖魔阻路，让孙悟空上前打探。孙悟空飞上云端，"只见那城门外，有一块沙滩空地，攒簇了许多和尚，在那里扯车儿哩。原来是一齐着力打号，齐喊‘大力王菩萨’，所以惊动唐僧”。

整部《西游记》中，唯有这一处提到了大力王菩萨。

那么，这个为车迟国受苦和尚念念不忘的大力王菩萨究竟是谁呢？

在火焰山故事中，土地提到了牛魔王的名号。他说：“若还要借真蕉扇，须是寻求大力王。”唐僧师徒问大力王是谁，土地介绍说大力王就是牛魔王。

那么，这个大力王菩萨，会不会是牛魔王呢？

牛魔王确实力大无穷。孙悟空和西天群妖斗法时，许多妖怪都被孙悟空的力量压制，一场打斗下来，常常手软筋麻。可是，牛魔王与孙悟空比斗时，完全不存在这个现象，二人在力量上可谓平分秋色。

后来，牛魔王现出白牛金身，身长千丈，宽八百丈，一摇头，一摆尾，那都是山崩地裂。孙悟空也现出石猴原身，却还需要施展法术，长到万丈，来斗牛魔王。

书中说：“他两个大展神通，在半山中赌斗，惊得那过往虚空一切神众与金头揭谛、六甲六丁、一十八位护教伽蓝都来围困魔王。那魔王公然不惧。”

应当说，从力量上讲，牛魔王完全当得起“大力王”三个字。

只是，车迟国的和尚会把牛魔王当成菩萨来祈祷吗？

当然不会。牛魔王乃是吃人的魔头。孙悟空曾经变成牛魔王模样，表示最近吃斋，暂时就不吃唐僧肉了。红孩儿心中疑惑：老爹吃人都吃了一千多年了，为何最近会吃斋？杀人无数的魔头吃斋有用吗？连他儿子都不相信牛魔王会有什么仁慈之心，更不要说凡间和尚了。

尤其重要的是，牛魔王乃是道派的妖仙。无论是他修行的法术，还是他背后代表的势力，都属于道派。道派妖仙牛魔王，不可能是和尚口中的“大力王菩萨”。

那么，这个大力王菩萨究竟是谁呢？

从上下文推测来看，应当是孙悟空。

看到和尚们不念经，不坐禅，却跑去给道士当苦力，孙悟空顿起兔死狐悲之感。他变成一个道士，下去打探消息。后来，和尚告诉他，他们如何如何会受苦。并且说，他们这五百个和尚都尝试过自杀，但自杀屡屡不成，只因六丁六甲、护教伽蓝告诉他们：“他（唐僧）手下有个徒弟，乃齐天大圣，神通广大，专秉忠良之心，与人间报不平之事，济困扶危，恤孤念寡。只等他来显神通，灭了道士，还敬你们沙门禅教哩。”

后来，孙悟空表露身份，现出本相，众人齐齐叩头。为了安抚大家，孙悟空拔了一把毫毛，每人分了一根。孙悟空告诉众僧，但凡有难，只要叫一声“齐天大圣”，自己就会显灵来救。一些和尚还有些担心，偷偷叫了一声。结果，一人叫，就多出一个孙悟空。百人叫，就多出一百个孙悟空。和尚们大喜，从此认定了孙悟空。

从这段故事可以知道，佛派群仙早就告诉和尚们，会救他们的人是齐天大圣孙悟空，这孙悟空就是大力王菩萨。正因如此，和尚们在被鞭打、被奴役时，才会齐齐诵念“大力王菩萨”的法号。

只是，《西游记》中孙悟空的最终法号不是斗战胜佛吗？

在《西游记》中确实如此。不过，在更久远之前的《西游记评话》中，孙悟空是被封为“大力王菩萨”的。

那么，吴承恩为何要把孙悟空由“大力王菩萨”改成“斗战胜佛”呢？

首先是贡献有不同。

《西游记评话》中，故事主角是唐僧，猴妖不过是唐僧取经的辅佐人物，其最大的神通就是力大无穷，最后被封为“大力王菩萨”可谓顺理成章。

而《西游记》的故事中，表面上唐僧是取经人，孙悟空是取经人的徒弟，其实，取经团队的核心人物毫无疑问是孙悟空。每逢遇到一个新妖怪，唐僧总要念叨一次取经艰难，思念故乡。每当此时，孙悟空都会喝止唐僧，劝勉大家不要畏惧，不要倦怠。

正因为贡献不同，在《西游记评话》中，猴妖仅仅是成为菩萨，而在《西游记》中，孙悟空则一跃而成佛。

其次是名号的寓意不同。

从名号看，猴妖被称为“大力王菩萨”，自然是赞许他力大无穷。只是，这也仅仅是说力气大而已，还缺乏丰富的内涵。

孙悟空的佛号“斗战胜佛”则不同。在有的地方，孙悟空也被称为“斗战佛”。“斗”“战”二字可谓深得孙悟空之精髓——猴性好动。在车迟国斗法中，虎力大仙提议“云梯显圣”——大家坐在高高的云端，比赛谁坐得久。孙悟空就对师父说，自己这场比赛绝对会输，只因他生性好动，一分钟也坐不住。

在《西游记》中，作者把猴性好动这点升华为好斗、好战。孙悟空可谓全书中疾恶如仇第一人。只要面对妖魔，他从来都是除恶务尽，杀起来寸草不留。

尤为可贵的是，孙悟空不但好斗、好战，并且战之能胜。

取经路上几乎所有的妖魔都是孙悟空一人降伏的。虽然说也有不少妖魔是孙悟空请人来收走的，可那都是因为妖魔手中有顶级法宝，这样的比斗根本不公平。

从真实实力来看，取经一路走来，真正能够在战力上压孙悟空一头的唯有两人——镇元子与九灵元圣。这二位一人一妖，都已经是堪比天尊的强者。而其他群妖群仙，或者与孙悟空战平，或者实力不如孙悟空。

招之即来，来之能战，战之能胜，这才是斗战胜佛的真意。

第五十四节　三大仙善恶

车迟国斗法，是西游故事中非常精彩的章节。在 1986 年央视版电视剧《西游记》中，孙悟空大展神威，一一戳破虎力大仙、羊力大仙、鹿力大仙的鬼把戏，最终将其弄死，又取得降妖除怪的一大成功。

表面看来，这是一个坏人（妖道）被铲除，好人（和尚）终得救的故事。可是，我们若是看原著，就可以发现，根本不是那么回事儿。

《西游记》中的和尚，一般来说生活都是比较富足的。比如，观音禅院中，当孙悟空说唐僧的袈裟是件宝贝时，禅院的和尚们都大笑。他们说，他们随便哪个和尚，袈裟至少得有六七件。像老院主这么多年，少不了积攒了几百件。果然，老院主光上等袈裟就有十多箱子，还件件都是金线编织，缀有珠玉。

即便是穷和尚，至少也可以温饱。因为佛派有一条规矩，只要你有度牒，是正式和尚，无论走到哪个寺庙，都可以白吃白住。而这食物来源，自有万千百姓布施，官家赏赐。

可是，车迟国的和尚很倒霉。

原文说："我家里（三位大仙门下）烧火的也是他，扫地的也是他，顶门的也是他。因为后边还有住房，未曾完备，着这和尚来拽砖瓦，拖木植，起盖房宇。只恐他贪顽躲懒，不肯拽车，所以着我两个去查点查点。"

这里的和尚们沦为道士的奴仆，过着最卑微的生活。

和尚们自然不甘心，他们想过逃跑，可是他们身为奴仆，就等于道士的私有财产。官府把和尚们的模样全部都画了下来，谁若是逃走，就张挂画影图形抓捕。若抓到一个和尚，有官的升三级，没官的赏银五十两。

车迟国本来有两千多和尚，因"熬不得苦楚，受不得捱煎，忍不得寒冷，服不得水土，死了有六七百，自尽了有七八百，只有我这五百个不得死"。

从此外看，车迟国的和尚仿佛真的很苦。

只是，可怜之人必有可恨之处。这两千多和尚，过惯了富足安康的生活，为何沦落到如此地步呢？

孙悟空变成道士，先后问了当地两个道士和五百和尚。双方给出了完全不同的两个版本。

先说和尚版。原文中和尚哭诉道：

“我们这一国君王，偏心无道，只喜得是老爷等辈，恼的是我们佛子。只因呼风唤雨，三个仙长来此处，灭了我等，哄信君王，把我们寺拆了，度牒追了，不放归乡，亦不许补役当差，赐与那仙长家使用，苦楚难当。”

和尚们首先强调，最主要的原因是国王偏心，偏爱道士，厌恶和尚。另一个原因，是妖道迷惑了国王，骗得国王拆了寺庙，要了度牒，把他们贬斥为道士的奴仆。

事情真的是这样吗？我们再看原文中的道士版：

“只因这二十年前，民遭亢旱，天无点雨，地绝谷苗，不论君臣黎庶，大小人家，家家沐浴焚香，户户拜天求雨。正都在倒悬捱命之处，忽然天降下三个仙长来，俯救生灵。”

“因当年求雨之时，僧人在一边拜佛，道士在一边告斗，都请朝廷的粮饷。谁知那和尚不中用，空念佛经，不能济事。后来我师父一到，唤雨呼风，拔济了万民涂炭。却才发恼了朝廷，说那和尚无用，拆了他的山门，毁了他的佛像，追了他的度牒，不放他回乡，御赐与我们家做活，就当小厮一般。”

两个道士说，为何如今和尚会变成仆役呢？

二十年前，车迟国大旱，久旱无雨。百姓苦不堪言，国王忧心如焚。车迟国内本有许多和尚，国王也让和尚求雨，但和尚念经拜佛全然无用。可是，等虎力、羊力、鹿力三大仙一来，立刻大雨倾盆，甘霖普降，解救万民于倒悬，于国于民，功莫大焉。

正是因为和尚长久享受车迟国的供养，在国家危难之际却毫无用处，国王才大怒，特意将和尚贬斥为道士的奴仆，以示惩戒。

那么，和尚和道士这两种版本，哪一种更可信呢？当然是道士的。

道士把整件事情的前因后果都说得清清楚楚，而和尚则掐头去尾，明显有所隐瞒。

并且，与孙悟空交谈的两个道士并非妖怪，而是两个人，两个好人。可是，孙悟空一棒把人家给打死了。

初见孙悟空，两个道士非常客气。孙悟空提出，三位大仙神通了得，不知道有没有可能引见一下。两位道士丝毫没有架子，立刻答应，还说："你要见我师父，有何难处！我两个是他靠胸贴肉的徒弟，我师父却又好道爱贤，只听见说个道字，就也接出大门。"

这两个道士身为三位大仙的心腹弟子，对孙悟空变化的一个游方道士，没有一点骄横之气。这和当初乌鸡国宝林寺唐僧借宿时遇到的那个僧官比起来，真是天上地下。

后来，孙悟空提出，自己有个叔叔是和尚，问道士能不能行个方便，让他去和尚堆中找一找。道士爽快答应，并且还表态："果若有呀，我们看道中情分，放他去了，却与你进城好么？"

在和尚口中，官府对这些和尚看管极为严格，人人都有备案，逃到任何地方都会被抓回。可是，两个小道士听了孙悟空哭诉，立刻表态愿意出手相助。

孙悟空到和尚那里转了一圈后，告诉道士，五百和尚都是他亲戚。两个道士没有恼怒，而是询问原因。孙悟空说："一百个是我左邻，一百个是我右舍，一百个是我父党，一百个是我母党，一百个是我交契。你若肯把这五百人都放了，我便与你进去；不放，我不去了。”

孙悟空摆明了闹事，两个道士只好说出实情：“那些和尚，乃国王御赐，若放一二名，还要在师父处递了病状，然后补个死状，才了得哩。怎么说都放了？此理不通，不通！”

原来，并非三位大仙一定要折磨和尚，而是此乃国王下的命令。即使只放一两名和尚，还要道士帮忙，弄个死亡证明才行呢！

可是，孙悟空当时已经打定了主意要铲除车迟国的三大仙，于是挥起棒子，把两个道士打得脑浆迸裂，当场死掉。

原来，车迟国斗法，并非孙悟空惩恶扬善，反倒是孙悟空仗势欺人。

之后，孙悟空大闹三清观，把三清的塑像都扔到粪坑中去了。与三大仙斗法时，孙悟空再度耍弄手段，定要把三大仙整死。孙悟空为何要如此做呢？他就不怕三清责怪吗？

第五十五节　大闹三清殿

孙悟空在车迟国与虎、羊、鹿三大仙斗法的事情，有很多不可解之处。比如，出身道门的孙悟空、猪八戒、沙僧为何要假扮三清？孙悟空为何让猪八戒把三清像给扔到茅厕？在偷吃完贡品之后有大把时间逃走，为何他们就是不走？在杀死两个道士、释放五百和尚后，唐僧师徒本来就面临王法制裁、国王问罪的危险，为何他们不但不隐藏形迹，反倒逆风而上，大搞破坏激化矛盾呢？

究竟是什么原因，让孙悟空做出如此失常的举动呢？让我们结合原著，一起来解开车迟国斗法背后的惊天秘密。

唐僧师徒在僧人的邀请下，住进了车迟国都城内唯一的寺庙——智渊寺。

原文说："二更时候，孙大圣心中有事，偏睡不着。"

孙悟空一贯是天不怕、地不怕，心中基本不藏事、不畏事。究竟是心中有什么事情，让孙悟空也难以作出决断呢？

孙悟空穿好衣服，单独出门，看到正南方灯火通明，原来正是虎、羊、鹿三大仙在三清观祈福。看到这里，孙悟空暗中高兴道："我欲下去与他混一混，奈何单丝不线，孤掌难鸣，且回去照顾八戒、沙僧，一同来耍耍。"

从此句可知，孙悟空之所以睡不着，是因为找不到机会与三大仙"混一混"，即过过招、打打架。孙悟空还是比较谨慎，因不知道对方有何特别神通，于是才想回去叫上两个师弟一起出手。

与此前的妖怪都不同，人家虎、羊、鹿三大仙既没有吃人害命，也没有抓捕唐僧。即便他们虐待和尚，那也符合车迟国国法。孙悟空为何要找虎、羊、鹿三大仙的麻烦呢？

孙悟空没有把自己闹事的真实想法告诉两个师弟，而是骗他们去吃好东西。

孙悟空悄悄把沙僧叫醒说："你且起来，我和你受用些来。"沙僧道："半夜三更，口枯眼涩，有甚受用？"孙悟空道："这城里有一座三清观。观里道士们修蘸，三清殿上有许多供养：馒头足有斗大，烧果有五六十斤一个，衬饭无数，果品新鲜。和你受用去来！”

书中特别强调，猪八戒和沙僧两人是“通脚睡着”，也就是一张床，一个睡这头，一个睡那头。孙悟空一叫沙僧，沙僧一动弹，很容易弄醒猪八戒。何况，大家都知道，沙僧不是个吃货，半夜人家睡得好好的，又没饿着，吃什么东西呢！

很明显，孙悟空这番话是说给与沙僧同床的猪八戒听的。有很多脏活、累活、隐秘的活，孙悟空自己不愿意干，就想方设法让猪八戒出手。乌鸡国时，孙悟空说御花园有宝贝，结果骗出猪八戒下井背国王尸体，不就是如此吗？

猴哥果然是最了解猪八戒的人。一听有斗大的馒头、五六十斤的烧果可以美美地大吃一顿，猪八戒立刻从梦中醒来。

猪八戒说：“哥哥，就不带挈我些儿？”孙悟空道：“兄弟，你要吃东西，不要大呼小叫，惊醒了师父，都跟我来。”

孙悟空做的这件事情，不能让唐僧知道。唐僧胆小怕事，万一知道了肯定阻止。他老人家虽然手无缚鸡之力，可是会念《紧箍咒》，专克孙悟空。

孙悟空究竟有什么事情不方便出手呢？

来到三清观，孙悟空吹口仙气，变做神风，把道士们都吓跑了。然后，猪八戒上前，不论生的熟的，将供品塞到嘴里就吃。

奇怪的事情发生了。孙悟空拿出铁棒，来打猪八戒，不许他吃东西。八戒生气了，质问孙悟空凭啥不让吃，这次出门不就是来吃东西的吗？

孙悟空道：“莫要小家子行，且叙礼坐下受用。”猪八戒道：

“不羞！偷东西吃，还要叙礼！若是请将来，却要如何？”

什么是“叙礼”？即以礼相见。猪八戒立刻戳穿猴哥谎言，咱们本来就是小偷，又不是人家请我们来吃东西，还要讲什么上下尊卑之礼呢？

孙悟空哑口无言，不得已，换了一个问题。

孙悟空道：“这上面坐的是什么菩萨？”八戒笑道：“三清也认不得，却认做什么菩萨！”孙悟空又道：“那三清？”八戒道：“中间的是元始天尊，左边的是灵宝道君，右边的是太上老君。”

若说叙礼是脱了裤子放屁，纯属多余，那把三清当成三菩萨，简直就是有眼无珠。若孙悟空只是普通的猴子也还罢了，可他在天庭为官时是多次亲眼见到三清的。尤其是太上老君，不久前他还见到呢，怎么会不认识？

可见，孙悟空在装傻。

他为何要装傻呢？俗话说，不知者不罪。我不认识这三座雕像是谁，我只以为是三个菩萨呢！

孙悟空下面说的几句话，更是奇怪万分。

孙悟空道：“都要变得这般模样，才吃得安稳哩。”猪八戒一听，变成太上老君，把三清像都推到地上。

之后，猪八戒抢大馒头吃。孙悟空再度阻止。猪八戒很生气：“哥哥，变得如此，还不吃等甚？”老猪说，我全部按照猴子你的要求做了，你凭啥不让人家吃东西？

只因，猴子的根本目的还没有达到。

随即，孙悟空说了一句前后矛盾的话：“兄弟呀，吃东西事小，泄漏天机事大。这圣像都推在地下，倘有起早的道士来撞钟扫地，或绊一个根头，却不走漏消息？你把他藏过一边来。”

孙悟空在暗示猪八戒，把雕像搬走，否则就会泄露天机：万一被发现，吃得不安稳。在孙悟空看来，偷吃贡品被发现，叫泄露天机；而变化成三清，亵渎神灵，根本不算个事。

猪八戒急着要吃东西，就问搬到哪里去。孙悟空告诉他，在哪里哪里有个五谷轮回之所，扔那里就可以了。

找到了地方，猪八戒发现是个茅厕（粪坑）。八戒有些心慌，在扔三清像前，有一番祷告词很有意思：

“三清三清，我说你听：远方到此，惯灭妖精，欲享供养，无处安宁。借你坐位，略略少停。你等坐久，也且暂下毛坑。你平日家受用无穷，做个清净道士；今日里不免享些秽物，也做个受臭气的天尊！”

猪八戒强调了两点。第一点，自己远行辛苦，一路降妖捉怪，如今要借三清座位吃点东西，享享清福。第二点，三清整天吃喝受用不尽，也该暂时让位了。然后，猪八戒把三座雕像扔进粪坑。估计扔时力道大了些，溅起了不少粪水在裤脚上，使猪八戒一身的臭气。

在猪八戒把三清像扔进茅厕之后，孙悟空不再刁难他了。三兄弟将供品大吃特吃，最后“吃得罄尽，已此没得吃了，还不走路，且在那里闲讲消食耍子”。

这不是很奇怪吗？三人明明是来偷吃供品的，前面还担心被人发现，此时既然已经吃完供品了，为何不立刻逃走呢？那样的话，神不知鬼不觉，不是挺好吗？

孙悟空让猪八戒推倒三清像，又让他将三清像扔进茅厕，三兄弟吃光供品而不走，这些奇怪现象，只有一个解释——孙悟空就是要让自己被发现，以激怒虎、羊、鹿三仙。

第五十六节　决裂真相

孙悟空为何要推倒三清像，撒尿给虎、羊、鹿三仙吃呢？

因为虎、羊、鹿三仙不是寻常的妖怪。他们一没有杀人害命，违犯天条，二没有抓捕唐僧，破坏取经。对于这样的妖怪，孙悟空若要打杀，师出无名。

孙悟空就是要挑起虎、羊、鹿三仙对取经团队的仇恨，给他们扣上一个破坏取经团队、妖言惑众、残害君王的罪名，然后将他们灭杀。

孙悟空是在故意设局引诱虎、羊、鹿三仙犯错误。

孙悟空啥时变成有如此心机的人，只问结果，不计手段呢？

因为他已经得到了佛派高层的指示，不得不这么做。

虎、羊、鹿三仙虽然本身没有杀人害民，但其行为实际上已经使得佛派在车迟国几乎就要断根。

孙悟空第一次见到和尚做苦力时，就想起多年前就听说的一个传言："我曾听得人言，西方路上，有个敬道灭僧之处，断乎此间是也。"

原本，车迟国都城中有两千多僧侣，佛派在车迟国很盛行。可是，一朝求雨落败，和尚们就沦为奴婢，惨不堪言。

作为西牛贺洲之主，在自己的辖区出现敬道灭僧之国，如来自然不高兴。车迟国的存在，已经成为佛派的耻辱。

可是，人间的和尚实在太没用。比如，乌鸡国大旱时，国王让和尚求雨，和尚就求不来。现在车迟国大旱，国王让和尚求雨，和尚还是求不来。在实用性方面，道派的法术实在比佛派便利太多。

既然人间和尚无用，那如来就派出佛派的特别行动队——唐僧师徒的取经团队。由他们代表佛派，在西天路上做宣传，弘扬佛法的威力。

在车迟国最后的五百名僧人想要自杀的时候，六丁六甲、护驾伽蓝想方设法保护，并且托梦告知他们，东土大唐来的高僧团队中有一人名叫齐天大圣，“神通广大，专秉忠良之心，与人间报不平之事，济困扶危，恤孤念寡。只等他来显神通，灭了道士，还敬你们沙门禅教哩”。

此前，我们曾经说过，唐僧的身边经常有很多神仙保护。这些神仙分成两拨：一拨是玉帝派来的，是值日功曹、五方揭谛；一拨是如来派来的，是六丁六甲、护驾伽蓝。玉帝方，金头揭谛日夜跟随；如来方，十八位护驾伽蓝从不离开。

如今，六丁六甲、护驾伽蓝借和尚之口告诉孙悟空，佛祖命令你要灭了道士，使得君民敬重佛派。

既然是佛祖命令，那孙悟空执行就是，为何还要半夜睡不着觉，心事重重呢?

因为，虎、羊、鹿三仙虽然不是天庭嫡系人员，但能够修成五雷正法，也算是三清门徒。何况人家正在修建三清大殿，为三清祈福，为国王祈福。孙悟空要灭虎、羊、鹿三仙，就等于灭了三清在车迟国的据点，等于公开和三清作对。

事实上，如来确实就是要借这个事情，让出身道门的孙悟空、猪八戒、沙僧表明立场，坚决与过去划清界限。

而孙悟空让猪八戒把三清像扔进厕所，三兄弟变成三清戏弄虎、羊、鹿三仙，就等于响应了佛祖号召，正式与道派告别，从此正式投身佛派。

只是，事情真的如此简单吗？那如何解释太白金星给五百和尚托梦呢？

五百和尚特意提到，有一个老头，自称太白金星，也答应可以解救他们，还告诉他们孙悟空的准确长相："磕额金睛幌亮，圆头毛脸无腮。咨牙尖嘴性情乖，貌比雷公古怪。惯使金箍铁棒，曾将天阙攻开。如今皈正保僧来，专救人间灾害。"

原文中，孙悟空听到太白金星如此说，又是开心，又有点生气。开心的是他帮助孙悟空传播名声，生气的是把孙悟空的真模样告诉了凡人。

我觉得原文中点出来的喜和怒还太表面。孙悟空真正担心和高兴的并非这个。

在天庭，太白金星是玉帝身边的重臣，堪称文官领袖。在仙界，太白金星更是九曜之首，为太上老君的铁杆心腹。此前，太白金星奉命三番五次给孙悟空传递消息，帮助孙悟空。孙悟空和猪八戒都很感动，也知道太白金星和太上老君的关系。

佛派高层传下命令，指名道姓要孙悟空出面灭了道士，振兴佛派。随即，太白金星就托梦，让和尚转告孙悟空，放心大胆地干吧，上头（太上老君）已经同意了。就算三清中其他二天尊有什么意见，太上老君也会帮忙兜着。

因为太上老君就是菩提祖师，他的目的就是让孙悟空顺利打入佛派，成为佛派高层。太上老君还是猪八戒的师父，猪八戒也是奉师父命令打入取经队伍，混入佛派的。

于是，车迟国斗法的真相出来了。

表面看来，这是孙悟空与道派划清界限——把三清像扔到茅厕——帮助佛派铲除道派（三清）在人间的势力，实际上是孙悟空奉太上老君命令，以车迟国虎、羊、鹿三仙为投名状，牺牲掉一个车迟国，换取佛派如来的信任。

虎、羊、鹿三仙乃是从终南山下来的野修，虽然也供奉三清，实际上并没有得到三清的真正传承。这类草根妖仙要想与高层搭上关系实在太难，沦为牺牲品也属正常。

至于自己的雕像被扔进粪坑，活到太上老君这个级别的大仙，根本不会把这种小事放在心上。若有一天追究起来，也必然要借力打力、借题发挥。

第五十七节　私自下雨

西游世界是一个有着繁复规则的世界。不单是人类要受律法的约束，即便你是仙人，也不能为所欲为。

现实世界王法为大，西游世界则天规至尊。

大名鼎鼎的泾河龙王，只因擅自改了下雨的时辰、雨量，结果就被推上了斩龙台。虽然说泾河龙王的死是观音菩萨导演的一场戏，但是就算泾河龙王还可活着，也只能化身井龙王存在，而不敢暴露在阳光下。若井龙王的真实身份一旦被揭露，就算是观音、玉帝都不能庇护他。

可是，取经路上，孙悟空一而再，再而三地要求四海龙王给他下雨，而龙王也最终答应并且给孙悟空下雨了。这三次下雨没有得到玉帝批准，属于私自下雨行为。可是，不管孙悟空也好，龙王也好，都没有受到惩罚。这是怎么一回事呢？

有人说，谁让泾河龙王没背景呢？人家孙悟空可是大有来历，他乃齐天大圣，官居极品，又是取经人的徒弟，观音菩萨亲自答应了悟空——叫天天应，叫地地灵。下场雨又有什么大不了的？

事情真的是这样吗？当然不是。

原著中，孙悟空在天庭的地位不算低，但也并非高到极品。不少仙人，比如四大天师，就根本没把孙悟空放在眼里。玉帝就更不在乎孙悟空了。何况，天条乃天庭至高法令，别说是仙人，就算是太上老君，也不敢公然违抗。

那么，孙悟空三次让龙王下雨都没事，究竟是什么原因呢？

我们先看看泾河龙王那次下雨为何会闯祸。

在原著第九回中，玉皇大帝派出黄巾力士下达圣旨，其中提道：“明日辰时布云，巳时发雷，午时下雨，未时雨足，共得水三尺三寸零四十八点。”在狗头军师的建议下，泾河龙王擅自将下雨改为：“巳时方布云，午时发雷，未时落雨，申时雨止，却只得三尺零四十点。”

大家注意前后的不同，泾河龙王将下雨的时辰延后了一个时辰，减少了三寸八点雨。

之后，魏征就在梦中宣读玉帝圣旨，说泾河龙王违背天条，该当死罪。

也就是说，玉帝在接受人间的请求之后，会下达诏书，让九天应元雷神普化天尊再下教令，安排风、雨、雷、电四部仙人去执行任务。

一般来说，哪里求雨，就派哪里的龙神去下雨。毕竟，龙神也不能自己产生水，他们也要到附近的河水湖泊中吸水，然后才能降雨。只有在特殊情况下，比如下雨量比较大，或者当地过于干旱等，才会派出四海龙王这样的大龙神出马。

在下达圣旨时，玉帝还是很人性化的。他只是规定了一个相对宽泛的时间、数量。

比如前文说的，辰时布云，巳时发雷，午时下雨，未时雨足。一个时辰是两个小时。午时就是 11 ~ 13 点，只要你是在这段时间开始下雨了，都不算违背圣旨。龙神可以选择 11∶01 降雨，也可以拖到 12∶59 开工。作为司雨的龙神，还是有一定自由权限的。

但是，泾河龙王竟然擅自更改了时辰，大大减少了降雨量，这就是不可饶恕的罪过了。

我们再看孙悟空请龙神下的几场雨。

第一次是在号山，孙悟空去请东海龙王下雨灭三昧真火。

东海龙王是孙悟空的老邻居，两人也算是不打不相识。在孙悟空的朋友圈子中，东海龙王算是颇受孙悟空尊敬的一位。

听闻要下雨，东海龙王一改往日的和善，非常严肃地说：“大圣差了，若要求取雨水，不该来问我。”孙悟空不解，东海龙王解释说：“我虽司雨，不敢擅专，须得玉帝旨意，吩咐在那地方，要几尺几寸，什么时辰起住，还要三官举笔，太乙移文，会令了雷公电母，风伯云童。俗语云，龙无云而不行哩。”

东海龙王的神通虽然远不如孙悟空，可是对官场规则的领悟非常老辣。他在话语中强调，如果是正式求雨，肯定要依照规则，否则，即使是老朋友也不能给面子。

孙悟空一听，也明白龙王的担忧了。他解释说：“我也不用着风云雷电，只是要些雨水灭火。”一听孙悟空这话，东海龙王放心了。

根据孙悟空的介绍，我们可以知道，与正式的求雨不同，孙悟空要求下雨的范围非常小，仅仅是在红孩儿与孙悟空打斗的小小范围内。当红孩儿喷火时，龙王对准打斗场所喷水灭火就可以了。

既然仅仅是超小范围下雨，并且降雨量极小，那东海龙王还是有这个权限的。

不过，东海龙王一向滑头，他提出：“大圣不用风云雷电，但我一人也不能助力，着舍弟们同助大圣一功如何？”

和以往一样，这敖广做事总是喜欢拉上其他三兄弟。名义上是四大龙王齐齐出马，以保证雨量，其实，东海龙王是担心下私雨惊动了玉帝。有功，自然大家一起分享。万一受责罚，也有兄弟一起来扛。

然后，四大龙王就在号山下了一场雨，可是，雨水并没有浇灭三昧真火。原著说：“原来龙王私雨，只好泼得凡火，妖精的三昧真火，如何泼得?”

按照作者的意思，若这场雨是有玉帝圣旨，经过了天庭的正式批准后才下的，就是“公雨”，那就可以灭掉三昧真火了。

第二次是在车迟国，孙悟空和虎力大仙斗法求雨。

斗法的结局是孙悟空获得了胜利。其实，仔细推敲起来，孙悟空胜得不坦荡。

那车迟国的虎力大仙精通正统的五雷天心法，烧符文上天，惊动了玉帝。玉帝亲自批准，发下圣旨，命令九天应元雷神普化天尊派出风、雨、雷、电四部仙人前去降雨。

五雷法乃是三清门下正统道法，修得此法，就如同获得了天庭认可的资格证书。只要烧化符文，玉帝就会派出人马去执行任务。当然，玉帝之所以同意，也是因为法师在求雨时许下了种种好处。

这就如同一场交易，人间帝王缴纳多少钱财，玉帝就答应降雨多少。因人间与天庭不能直接沟通，法师（虎力大仙这类修仙者）就充当起中间人。

若孙悟空不打扰，虎力大仙完全可以求到一场好雨。

若等下雨结束，四部仙人走了，孙悟空再来求雨，情况会如何呢?

风神、雷神、云童、雾子与孙悟空没交情，都不会来。孙悟空只能念咒拘来龙王。可是，龙王没有玉帝的圣旨不能下雨。于是，要想降雨，孙悟空还要去求玉帝。而玉帝能不能给面子还两说。

要知道，玉帝虽然公开答应支持取经，其实心里根本不想佛派壮大。只要有可能，玉帝很乐意看到取经团队吃瘪。这也是每次孙悟空上天求助时，玉帝总是派出实力一般的二十八宿等仙人出马的原因。九曜以上的神仙基本没出动过，更不要说四帝级别了。

那为何这次斗法是孙悟空获得了胜利呢？

因为孙悟空很好地利用了下雨命令中的漏洞。

虎力大仙连番举牌催雨，都没有效果。在孙悟空和猪八戒的起哄声中，他只能下场。原文说："那道士无奈，不敢久占，只得下了台让他。"虎力大仙的求雨时间相当短暂，短到绝对不超过一个时辰。

孙悟空扶持唐僧上场，连番举起金箍棒。天空中的风、雨、雷、电四部仙人连忙行动起来。结果"这场雨，自辰时下起，只下到午时前后"。

也就是说，玉帝的圣旨中只是规定在 9～11 点必须开始下雨。至于是在 9∶01 下，还是在 10∶59 下，都没有差别。明明是虎力大仙请来的四部仙人，可因为孙悟空的威逼利诱，他们谁也不敢帮虎力大仙。在不违背玉帝圣旨的前提下，四部仙人、东海龙王等仙人就帮了一次孙悟空。

第三次是在朱紫国，因孙悟空救治国王需要无根水做药引，于是找来东海龙王。

一听又要下雨，东海龙王的第一反应是推托。他不说自己不想帮忙，而说自己来得匆忙，没有带下雨的雨具，更没有风、雨、雷、电诸神跟随。孙悟空说："如今用不着风云雷电，亦不须多雨，只要些须引药之水便了。"一听孙悟空只是需要一些水作为服药之用，东海龙王说："既如此，待我打两个喷涕，吐些涎津溢，与他吃药罢。"

于是，龙王在朱紫国的王宫超小范围内下了一场超小的雨。雨小到何等地步呢？皇宫的所有妃嫔、宫女、太监齐齐出动，拿出各种锅碗瓢盆来接雨，最后汇拢起来，一共得了三盏水。

这场雨只是东海龙王打了个喷嚏，自然不算正式降雨。

在唐僧师徒到达凤仙郡的时候，孙悟空曾经正式求雨，结果被东海龙王果断拒绝了。最终，孙悟空只能求玉帝。在经历一番波折（倒了米山面山）后，得了玉帝旨意后，东海龙王这才下雨。

第五十八节　三仙战猴哥

车迟国的虎、羊、鹿三仙，是《西游记》中罕见的悲剧性人物。之所以说是悲剧性人物，是因为他们有护国济民之大功，最后却落到身死魂灭的悲惨结局。

西游世界那么多为非作歹的妖魔鬼怪，小妖级别的不算，妖王级别的可没有几个死亡的。究竟是什么原因，让虎、羊、鹿三仙步了白骨精的后尘呢？

在原著中，通过三人之口，给出了三份答卷。我们一一来看。

见车迟国王泪如泉涌，哭个不停，孙悟空上前大喝："你怎么这等昏乱！见放着那道士的尸骸，一个是虎，一个是鹿，那羊力是一个羚羊。不信时，捞上骨头来看，那里人有那样骷髅？他本是成精的山兽，同心到此害你，因见气数还旺，不敢下手。若再过二年，你气数衰败，他就害了你性命，把你江山一股儿尽属他了。幸我等早来，除妖邪救了你命，你还哭甚？哭甚！急打发关文，送我出去。”

孙悟空认为，虎、羊、鹿三仙该死。为何该死呢？

其一，他们都是成精的山兽。所谓三位国师，不过都是老虎、山羊、野鹿修炼成精。既然如此，那当然是妖怪。既然是妖怪，就应该打杀。

可是，孙悟空似乎忘记他本人也是成精的山兽——猴子成精嘛！猪八戒也是野猪成精。已经加入取经队伍，有了仙界合法身份的孙悟空，对昔日的同类竟然如此狠辣。

其二，断言虎、羊、鹿三仙必然祸害国王。孙悟空说，幸亏他们师徒四人来得早，否则国王性命休矣，甚至连江山都要被夺走。孙悟空很明显在说此前乌鸡国中的事情。

可是，明白前因后果的孙悟空，却故意忽略了乌鸡国假国王乃是奉主人之命，下界为妖作乱。而人家虎、羊、鹿三仙在车迟国已经二十年了，在他们的护持下，车迟国一直风调雨顺，国泰民安。

听了孙悟空的话，百官纷纷禀奏："圣僧之言，不可不听！"他们是真的认为孙悟空说得对吗？根本不是。此前十来分钟，孙悟空在与羊力大仙比赛油锅洗澡时，故意变成枣核钉儿，好吓吓唐僧、猪八戒。监斩官于是说孙悟空已死，猪八戒嘲讽孙悟空惯会耍诈，并不相信。孙悟空不好打八戒，却迁怒于监斩官。他也不请示师父，也不告诉国王，抬手一金箍棒，就把监斩官打成了肉泥。百官见了，人人惊惧，一起哀告孙悟空饶命。

对虎、羊、鹿三仙的死，北海龙王也提出自己的看法。他认为："这个孽畜苦修行了一场，脱得本壳，却只是五雷法真受，其余都躧了旁门，难归仙道。这个是他在小茅山学来的大开剥。那两个已是大圣破了他法，现了本相，这一个也是他自己炼的冷龙，只好哄瞒世俗之人耍子，怎瞒得大圣！小龙如今收了他冷龙，管教他骨碎皮焦，显什么手段。”

比斗油锅洗澡时，孙悟空发现羊力大仙的油锅是冷的，于是唤来北海龙王。一见面，孙悟空训斥说：“我把你这个带角的蚯蚓，有鳞的泥鳅！你怎么助道士冷龙护住锅底，教他显圣赢我！”他把北海龙王骂得狗血淋头，完全是一副主子教训奴才的口吻。

在这样的高压威胁下，西海龙王只好为自己辩解。虽然北海龙王是用贬低虎、羊、鹿三仙的口吻来诉说，但我们依然可以看出，他对虎、羊、鹿三仙还是有些敬重的。虎、羊、鹿三仙是终南山出身的草根妖仙，修习到了道派三清门下的正规五雷天心法。因此，虎力大仙求雨十分灵验，一道檄文上天，玉帝就答应降雨。

不过，虎、羊、鹿三仙除了五雷法是道门正统仙法，其他却不入真流。虎力大仙的砍头不死，鹿力大仙的破腹如故，都叫作“大开剥”术，这种法术都有严重的缺陷——头颅和肠胃离体时间不能太久。于是，虎力大仙的脑袋被狗叼走后，鹿力大仙的肠子被鹰叼走后，长时间呼唤不回来，两位就死了。羊力大仙的油锅洗澡，也并不是像孙悟空一样修习炼体术，而只是借助冷龙效力，掩人耳目罢了。

车迟国王和虎、羊、鹿三仙在一起已经二十年，感情很深。当三仙死去时，他对三仙的死因也有自己的一番见解。他说：“人身难得果然难，不遇真传莫炼丹。空有驱神咒水术，却无延寿保生丸。圆明混，怎涅槃，徒用心机命不安。早觉这般轻折挫，何如秘食稳居山!"

在车迟国王看来，三仙之所以死，主要原因有三个。

其一，非人的出身。虽然三界一直流传"凡有九窍者，皆可修炼成仙"，可事实是，人类出身的仙人对其他族类异常鄙视，将非人仙人贬斥为妖，甚至随意出手灭杀。

其二，有驱神咒水、呼风唤雨之术，可惜没有修成长生，没有延寿保命的灵药。

其三，好勇斗狠，惹出祸事。若三国师不是坚持要和孙悟空赌赛，而是放孙悟空等人过去，安心修炼，自然可以不死。

车迟国王也是人中龙凤，看出了斗法的一些端倪。不过，由于身份、眼界的局限，他自然不会明白，即便三国师忍让再忍让，孙悟空也不会放过他们。

只因，三国师乃是孙悟空、猪八戒赢得如来信任的投名状。三国师非死不可。

虎力大仙求雨时宣称，一声令牌响风来，二声响云起，三声响雷闪齐鸣，四声响雨至，五声响云散雨收。事实上，虎力大仙一点没吹牛。在他的号令下，天庭司雨众仙，诸如风婆婆、巽二郎、云童、雾子、雷公、电母、四海龙王齐齐出现。若无孙悟空出面阻拦，虎力大仙求雨必然成功。

孙悟空凭啥能让天庭众仙听从号令呢？是因孙悟空本人能打吗？

我们看孙悟空是怎么说的："我保护唐朝圣僧西天取经，路过车迟国，与那妖道赌胜祈雨，你怎么不助老孙，反助那道士？我且饶你，把风收了。若有一些风儿，把那道士的胡子吹得动动，各打二十铁棒！”

若孙悟空说，我是齐天大圣孙悟空，在此处和妖道斗法……那么，天庭仙人不给虎力大仙下雨，自然看的是孙悟空的面子。可孙悟空不是这么说的。

孙悟空强调，我是保护唐朝圣僧前往西天取经，因此与妖道赌赛斗法。前文我们已经多次讲过，如来策划的取经行动，是得到玉帝亲自批准的合法的、官方的行为。因此，孙悟空的话，其实就是在说，我这次斗法行动，乃是代表如来，代表天庭的，你们若不支持，在玉帝面前也不好交代。

在司雨众仙中，地位最高的自然是四海龙王。因此，孙悟空一见四海龙王就说：“向日有劳，未曾成功；今日之事，望为助力。”孙悟空在说，上次让你们出手帮忙灭红孩儿的三昧真火，你们不但没灭火，还差点弄死了我。这次你们可要卖力点，别又办砸了。四海龙王一听，都羞红了脸。

可是，四海龙王毕竟不是孙悟空的下属，单纯要挟是不行的。孙悟空又对西海龙王说：“前日亏令郎缚怪，搭救师父。”孙悟空看似在感谢西海龙王，其实在暗示，你那个外甥可是破坏取经行动的重犯，你若不好好表现，我必然追究。西海龙王聪明，立刻听出了弦外之音，他说：“那厮还锁在海中，未敢擅便，正欲请大圣发落。”孙悟空看西海龙王已经表态了，就说：“凭你怎么处治了罢，如今且助我一功。”

综合来说，孙悟空号令天庭司雨众仙，一个是抬出如来和玉帝，以势压人；一个是叙旧套交情，以情动人。

在感情与势力的双重威压下，天庭众仙不得不听从号令。下雨后，孙悟空为了显摆，还让四海龙王现出真身，来见车迟国王。车迟国王大惊，原文说：“那国王见孙行者有呼龙使圣之法，即将关文用了宝印，便要递与唐僧，放行西路。”

国王都看出孙悟空比国师的势力大多了。可惜，当局者迷。虎、羊、鹿三仙却不依不饶，定要继续比赛。

只是虎、羊、鹿三仙能拿什么和孙悟空比拼呢？

其一，实力不如孙悟空。虎、羊、鹿三仙本身修行的只是道家旁门，并没有得到长生不老之术。因此，从仙人等级看，他们只不过是神仙一流。同样是砍头，虎力大仙让土地神困住孙悟空的头颅，孙悟空也放狗叼走虎力大仙的头颅，算是以彼之道还施彼身。可孙悟空有七十二变，可以重新长出头颅，虎力大仙却死翘翘了。

其二，背景不如孙悟空。西游世界也有不少妖怪打不过孙悟空，可是在快死的时候都有大神通的主子出手相救。虎、羊、鹿三仙乃草根修习，虽然也供奉三清，但那只是热脸贴上冷屁股。他们距离三清实在太遥远，关键时无人能救其性命。

其三，奸猾不如孙悟空。鹿力大仙比赛隔板猜物时，每次都是他先猜，唐僧后猜。而在鹿力大仙猜好后，孙悟空就到柜子中做手脚。把昂贵的丝绸衣服变成了破烂百衲衣，把鲜红的桃子吃掉，变成了桃核，把道童头发剃掉变成了小和尚。

其四，狠辣不如孙悟空。虎、羊、鹿三仙为求胜利，也耍了不少手段，可若论起手段狠辣，孙悟空是他们的祖宗。虎力大仙与唐僧比坐禅时，鹿力大仙拔了根毛变成个臭虫来咬唐僧。被臭虫咬，不过有点痒而已。孙悟空却变成一只二十厘米长的超大蜈蚣，在虎力大仙脸上狠狠咬了一口。蜈蚣本就是毒虫，这一口咬下，虎力大仙当场翻下云台，差点活活摔死。

其五，变通不如孙悟空。虎力大仙因为头颅被狗叼走，已经死了。当时，国王再次提出放唐僧西去，终止比赛。可是，鹿力大仙不依不饶，还要继续比赛。结果，好戏重演，鹿力大仙的肠子被孙悟空毫毛变成的老鹰叼走，鹿力大仙身死。即便如此，那羊力大仙还不接受教训，继续往坑里跳，要和孙悟空比赛洗澡，结果也一命呜呼。

遇到事情只知进而不知退，刚愎自用，不知反思，三大仙也算是自寻死路。

第五十九节　八戒博学

在车迟国灭虎、羊、鹿三仙，几乎都是孙悟空在唱独角戏。离开车迟国都城，来到通天河畔，猪八戒的表现顿时精彩起来。

原著第四十七回说的是唐僧师徒住进陈家庄，听闻灵感大王之事，孙悟空、猪八戒变成童男童女帮忙解困的故事。在本回中，给读者们展现了一个与以往完全不一样的猪八戒。

第一，丑汉三人组中，猪八戒排第几？

走近陈家庄，唐僧对三位徒弟说，你们三个都长得丑，还是我先去聊聊，等人家答应借宿，你们再过来。唐僧和陈老官谈妥了，转头呼唤三位徒弟过来。见到三人，陈老官吓得跌倒在地，口中连连说：“妖怪来了！”唐僧连忙扶起，说三人是自己徒弟。陈老官牙齿发抖，说：“这般好俊师父，怎么寻这样丑徒弟！”

可见，三人都是丑的。

丑汉三人组中，谁最帅，谁最丑呢？按照读者印象，应当是沙僧最像人，孙悟空最酷，猪八戒最丑。

原著并非如此。猪八戒先闯进大院，把念经的和尚全部吓跑了。和尚心惊胆战地跑出去，又见到孙悟空和沙僧，更吓得屁滚尿流。书中说：“观看外来人，嘴长耳朵大。身粗背膊宽，声响如雷咋。行者与沙僧，容貌更丑陋。厅堂几众僧，无人不害怕。”

原来，师兄弟三人中，竟然是长着野猪头的猪八戒最帅，孙悟空、沙僧更丑。

第二，猪八戒到底有多能吃？

大家都知道猪八戒能吃。一路走来，猪八戒常常说自己没吃饱。那么，若猪八戒放开量来，能吃多少？

准备开饭时，陈老官叫出八个人来，每两位服侍一个和尚，做些端饭递水的活。猪八戒提出，平均分配不合理，应当按需分配。陈老官问怎么分，猪八戒说：“那白面师父，只消一个人；毛脸雷公嘴的，只消两个人；那晦气脸的，要八个人；我得二十个人伏侍方彀。”

猪八戒的言下之意，唐僧只是寻常一个人的饭量；孙悟空比较能吃，堪比两个人的饭量；沙和尚更厉害，有八个人的饭量；至于他猪八戒，得有二十个人的饭量。

吃饭前，唐僧要念《启斋经》。在前文两界山遇上人族猎人刘伯钦的时候提到，唐僧念的经很短，不过是百十个字，一两分钟就念完了。可就在这短短时间里，猪八戒已经吃了五六碗了。

作者写八戒吃饭，相当精彩：

“（八戒）拿过红漆木碗来，把一碗白米饭，扑的丢下口去。那小的们，又端了碗，盛一碗递与八戒。呆子幌一幌，又丢下口去就了了。”

原来，猪八戒吃饭根本不嚼，一碗饭是“丢”下口去的。陈家家仆看傻了，笑着说：“爷爷呀！你是磨砖砌的喉咙，着实又光又溜！”

一会儿，除了猪八戒，其他三人都饱了。他们四人共吃了多少呢？好家伙，一共吃了一百斤面食、五十斤米饭，还有几桌子素菜。

可猪八戒还嚷着，再来五斗米饭。哈哈！八戒果然不愧是西游世界第一吃货。

第三，猪八戒是蠢笨如猪的猪，还是博学多闻的猪？

来到通天河畔，因天色朦胧，看不清河水有多宽，猪八戒就提出，看看水有多深，若是比较浅，大家就可以横渡过去。唐僧批评说：“悟能，你休乱谈，水之浅深，如何试得？”唐僧也算博览经书，却从不知道如何测试水的深浅。

猪八戒回答：“寻一个鹅卵石，抛在当中。若是溅起水泡来是浅，若是骨都都沉下有声是深。”

孙悟空从没有听说过这种说法，有点不信，让猪八戒试试。沙僧在流沙河中也待了几百年，水性是不错，可关于水的知识远不如八戒。八戒捡起一块石头，往河水中扔去，“只听得骨都都泛起鱼津，沉下水底”。

后来，唐僧师徒看到河边有一块石碑，上面写着“通天河”三个大字，还有“径过八百里，亘古少人行”十个小字。通天河宽八百里，大家都知道，可到底有多深呢？

寻常一条河，有几百米也就算深了。即便是大海沟，最深的也不过一万多米深。通天河有多深呢？在后文三兄弟下河找寻师父时，有这样一句：“弟兄们同入通天河内，向水底下行有百十里远近……行了又有百十里远近，忽抬头望见一座楼台。”

原来，那灵感大王金鱼精竟然住在距离河面两百多里的深处，即十万多米。事实证明，猪八戒的测试果然准确。

后来，通天河结冰。唐僧再三要求立刻出行，免得耽误时间。沙僧很担心，建议缓行，毕竟通天河才刚刚结冰，忙中出错就不好了。

此时，猪八戒提出，他有办法测试河水结冰的厚薄。孙悟空不信，训斥说：“呆子，前夜试水，你尚能抛石，如今冰冻重漫，怎生试得？”

猪八戒也不多说，跑到河面上，举起九齿钉钯，尽力一筑。只听得“噗”的一声，竟然只是留下九个白印，他的手都震得生疼。

这就是猪八戒测试冰厚度的方法。

虽然说后来灵感大王作法弄裂冰层抓走唐僧，却不能否认猪八戒这个测试方法的准确性。冰确实结得很厚。

猪八戒不但有方法测试水有多深、冰有多厚，还知道如何在冰上行走。

师徒一行人走上冰面。唐僧还坐在白龙马上，可没走多远，白龙马马蹄打滑，差点把唐僧摔下来。沙僧立刻说，太难走了，还是等冰融化吧！唐僧不肯。陈家庄那个地方天气极寒，八月就入冬，要到来年夏天才解冻。若等冰融化，岂不是要在陈家庄住上半年？

猪八戒提出，没关系，他有办法让白龙马在冰面上行走。他向陈老官讨要了一把稻草，绑在白龙马的马蹄上。此后三四里，白龙马走得相当平稳。

古人知识有限，知识传播渠道又窄，按照原著中记载，即便是常年生活在通天河附近的陈家庄人，也并不知道在马蹄上绑稻草，可以方便行走。

后来，稻草湿透了，增加摩擦、保持平衡的效果差了一些。猪八戒又把行李中的九环锡杖递给唐僧。孙悟空只当八戒偷懒，训斥说："这呆子奸诈，锡杖原来是你负责挑的，如何又叫师父拿着？"

猪八戒说："你不曾走过冰凌，不晓得。凡是冰冻之上，必有凌眼，倘或躧着凌眼，脱将下去，若没横担之物，骨都的落水，就如一个大锅盖盖住，如何钻得上来！须是如此架住方可。"

唐僧听了，忙把锡杖横端在手中。

即便是一贯爱挑刺的孙悟空听了，也不禁在心中暗暗赞叹："这呆子倒是个积年走冰的！"

若通天河无灵感大王金鱼精作怪，在猪八戒的帮助下，唐僧师徒定然可以轻轻松松穿过。那么，这金鱼精究竟是个怎样的怪物？为何他只吃陈家庄的童男童女呢？